Outros títulos de Paulo Coelho:

*O Alquimista*
*Brida*
*A bruxa de Portobello*
*O demônio e a srta. Prym*
*O diário de um mago*
*A espiã*
*Hippie*
*Maktub*
*Manual do guerreiro da luz*
*Na margem do rio Piedra eu sentei e chorei*
*Onze minutos*
*Ser como o rio que flui*
*O vencedor está só*
*Veronika decide morrer*
*O Zahir*

"Ó Maria, concebida sem pecado, rogai por nós, que recorremos a Vós." Amém.

paralela

Copyright © 1996 by Paulo Coelho

Publicado mediante acordo com Sant Jordi Asociados Agencia Literaria S.L.U., Barcelona, Espanha.

Todos os direitos reservados.

A Editora Paralela é uma divisão da Editora Schwarcz S.A.

*Grafia atualizada segundo o Acordo Ortográfico da Língua Portuguesa de 1990, que entrou em vigor no Brasil em 2009.*

CAPA Alceu Chiesorin Nunes
REVISÃO Luciane Helena Gomide e Carmen T. S. Costa

Dados Internacionais de Catalogação na Publicação (CIP)
(Câmara Brasileira do Livro, SP, Brasil)

Coelho, Paulo
   O Monte Cinco / Paulo Coelho. — 1ª ed. — São Paulo : Paralela, 2019.

   ISBN 978-85-8439-153-0

   1. Ficção brasileira I. Título.

19-31040                               CDD-B869.3

Índice para catálogo sistemático:
1. Ficção : Literatura brasileira B869.3

Cibele Maria Dias – Bibliotecária – CRB-8/9427

[2019]
Todos os direitos desta edição reservados à
EDITORA SCHWARCZ S.A.
Rua Bandeira Paulista, 702, cj. 32
04532-002 — São Paulo — SP
Telefone: (11) 3707-3500
www.editoraparalela.com.br
atendimentoaoleitor@editoraparalela.com.br
facebook.com/editoraparalela
instagram.com/editoraparalela
twitter.com/editoraparalela

Para Mauro Salles

"*E prosseguiu: de fato vos afirmo que nenhum profeta é bem recebido em sua própria terra.*

*Na verdade vos digo que havia muitas viúvas em Israel no tempo de Elias, quando o céu se fechou por três anos e seis meses, reinando grande fome em toda a terra; e a nenhuma delas foi Elias enviado, senão a uma viúva de Sarepta, de Sidon.*"

Lucas 4,24-6

# Antes de começar

No dia 12 do mês de agosto de 1979 eu fui dormir com uma única certeza: aos trinta anos de idade, estava conseguindo chegar ao topo de minha carreira como executivo de discos. Trabalhava como diretor artístico da CBS do Brasil, acabava de ser convidado para ir aos EUA falar com os donos da gravadora, e seguramente eles iriam me dar todas as possibilidades para realizar tudo que eu desejava fazer na minha área. Claro que meu grande sonho — ser um escritor — tinha sido colocado de lado, mas que importava isso? Afinal de contas, a vida real era muito diferente do que eu havia imaginado; não havia espaço para se viver de literatura no Brasil.

Naquela noite, tomei uma decisão, e abandonei meu sonho: era preciso adaptar-me às circunstâncias e aproveitar as oportunidades. Se meu coração reclamasse, eu poderia enganá-lo, fazendo letras de música sempre que desejasse e — vez por outra — escrevendo em algum jornal. De resto, estava convencido de que minha vida tinha tomado um rumo diferente, mas nem por isso menos excitante: um futuro brilhante me esperava nas multinacionais de música.

Quando acordei, recebi um telefonema do presidente da gravadora: acabava de ser despedido, sem maiores explicações. Embora batesse em várias portas nos dois anos que se seguiram, nunca mais consegui um emprego na área.

Ao terminar de escrever O Monte Cinco lembrei-me desse episódio — e de outras manifestações do inevitável em minha vida. Sempre que eu me sentia absolutamente dono da situação, alguma coisa acontecia e me jogava para baixo. Eu me perguntava: por quê? Será que estou condenado a sempre chegar perto mas jamais cruzar a linha de chegada? Será que Deus é tão cruel a ponto de me fazer ver as palmeiras no horizonte só para matar-me de sede no meio do deserto?

Demorou muito para entender que não era bem isso. Há coisas que são colocadas em nossas vidas para nos reconduzir ao verdadeiro caminho de nossa Lenda Pessoal. Outras surgem para que possamos aplicar tudo aquilo que aprendemos. E, finalmente, algumas chegam para nos *ensinar*.

Em meu livro O diário de um mago procurei mostrar que esses ensinamentos não precisam estar aliados à dor e ao sofrimento — basta disciplina e atenção. Embora essa compreensão tenha se tornado uma importante bênção na minha vida, ficou faltando entender alguns momentos difíceis pelos quais passei, mesmo com toda disciplina e atenção.

Um dos exemplos é o caso citado; eu era um bom profissional, esforçava-me ao máximo para dar o que havia de melhor em mim e tinha ideias que até hoje considero boas. Mas o inevitável aconteceu, justamente no momento em que eu me sentia mais seguro e confiante.

Penso que não estou só nesta experiência; o inevitável já tocou a vida de todo ser humano na face da Terra. Alguns se recuperaram, outros cederam — mas todos nós já experimentamos o roçar de asas da tragédia.

    Por quê? Para responder a esta pergunta deixei que Elias me conduzisse pelos dias e noites de Akbar.

PAULO COELHO

# O MONTE CINCO

Diz a Bíblia:

"O Senhor dirigiu-se ao profeta Elias, e ordenou:
"'Retira-te daqui, vai para a banda do Oriente, e esconde-te junto à torrente do Querite. Beberás da torrente; e ordenei aos corvos que ali mesmo te sustentem.'
"Elias fez segundo a palavra do Senhor; retirou-se e habitou junto à torrente. Os corvos lhe traziam pela manhã pão e carne, como também pão e carne ao anoitecer; e bebia da torrente.
"Mas, passados dias, a torrente secou, porque não chovia sobre a terra.
"Então lhe veio a palavra do Senhor, dizendo:
"'Vai a Sarepta, que pertence a Sidon, e demora-te ali, onde ordenei a uma mulher viúva que te sustente.'"

———·:·———

Quando Jezabel ordenou a perseguição e a morte de todos os profetas de Israel, o Senhor disse a Elias que iria punir aquela terra com muitos anos de seca. Elias foi, primeiro, para a torrente de Querite. Quando esta secou, seguiu a ordem do Senhor, e dirigiu-se a Sarepta.

O lugar aonde Elias deveria ir era parte da nação conhecida como Fenícia, que os israelitas chamavam de Líbano. No início daquele ano de 870 a.C., seus habitantes podiam se orgulhar de seus feitos; como não eram politicamente fortes, haviam desenvolvido uma capacidade de negociação invejável para o mundo antigo. Uma aliança feita por volta do ano 1000 a.C., com o rei Salomão de Israel, permitira a modernização da frota mercante, e a expansão do comércio. Desde então, a Fenícia não parara de crescer.

Seus navegadores já haviam chegado a lugares tão distantes como a Espanha e o oceano Atlântico, e há teorias — ainda não confirmadas — de que teriam deixado inscrições no Nordeste e no Sul do Brasil. Transportavam vidro, cedro, armas, ferro e marfim. Os habitantes das grandes cidades, como Sidon, Tiro e Biblos, conheciam os números, os cálculos astronômicos, a fabricação do vinho e usavam — há quase duzentos anos — um conjunto de caracteres para escrever, que os gregos conheciam como *alfabeto*.

Enquanto caminhava em busca da cidade onde o Senhor lhe ordenara ficar, Elias não podia sonhar que um conselho de guerra reunia-se num lugar distante, chamado Nínive. Um grupo de generais assírios decidira enviar suas tropas para conquistar as nações situadas ao longo da costa, no mar Mediterrâneo.

A Fenícia fora escolhida como o primeiro país a ser invadido.

Elias viajou durante dias até chegar ao vale onde ficava a cidade de Sarepta, que seus habitantes conheciam como Akbar. Diante de uma de suas portas, ao entardecer, uma mulher juntava lenha. A vegetação do vale era rasteira, de modo que ela precisava se contentar com pequenos gravetos secos.

"Quem é você?", perguntou.

"Sou uma pobre viúva, que perdeu seu marido num dos navios de meu país. Jamais vi o oceano, mas sei que é como o deserto: mata quem o desafia."

"Traga-me uma vasilha de água para beber", disse Elias.

A mulher deixou a lenha de lado e já ia entrando na cidade para fazer o que o homem lhe pedira quando ele a segurou pelo braço.

"Traga-me também um bocado de pão."

"Você não é daqui", disse ela. "Pela maneira de falar, deve ser do reino de Israel. Se me conhecesse melhor, saberia que nada tenho."

"Mas a cidade não é rica?"

"Os pobres existem sempre, não importa quanto sejam ricas as cidades."

Diz a Bíblia:

"Ela respondeu: tão certo como vive o Senhor teu Deus nada tenho cozido; há somente um punhado de farinha numa panela e um pouco de azeite numa botija. Vês aqui, apanhei dois cavacos e vou prepará-los para mim e para meu filho. Comeremos e morreremos.
"Elias disse: 'Não temas; vai e faze o que disseste. Mas, antes, faze dele para mim um bolo pequeno, e traze-mo aqui fora. Depois fará o mesmo para ti mesma e para o teu filho. Porque assim diz o Senhor Deus de Israel: a farinha da tua panela não se acabará e o azeite de tua botija não faltará, até o dia em que o Senhor faça chover novamente sobre a terra'."

———·⁖·———

A mulher fez segundo a palavra de Elias, embora não acreditasse no Deus de Israel. "Nossos deuses são mais poderosos e nosso país mais forte. Mas este homem é pobre, e precisa de ajuda; eu farei o que está pedindo, só para alegrá-lo."

Foi até sua casa, e voltou com o pedaço de pão.

"Hospeda-me contigo, porque sou perseguido em meu país", disse Elias.

"Que crime o senhor cometeu?", perguntou ela.

"Sou um profeta do Senhor. Jezabel mandou matar todos que se recusaram a adorar os deuses fenícios."

Ela olhou com piedade para o rapaz à sua frente. Tinha os cabelos grandes e sujos; usava uma barba ainda rala, como se desejasse parecer mais velho do que realmente era.

"Qual a sua idade?"

"Trinta e dois anos", respondeu Elias.

"Se você é inimigo de Jezabel, é também meu inimigo. Ela é uma princesa de Tiro, cuja missão — ao casar-se com seu rei — foi converter seu povo à verdadeira fé. Nossos deuses habitam no alto do Monte Cinco há muitas gerações, e conseguem manter a paz em nosso país."

E continuou:

"Israel, porém, vive na guerra e no sofrimento. Como podem continuar acreditando no Deus Único? Deem tempo a Jezabel de realizar seu trabalho e verão que a paz reinará também em suas cidades."

"Já escutei a voz do Senhor", respondeu Elias. "Vocês, porém, nunca subiram no alto do Monte Cinco para saber o que existe por lá."

"Quem subir aquele Monte será morto pelo fogo dos céus. Os deuses não gostam de estranhos."

Ela parou de falar. Lembrara-se de que, naquela noite, sonhara com uma luz muito forte. Do meio daquela luz saía uma voz dizendo: "Recebe o estrangeiro que te procurar".

"Hospeda-me contigo, porque não tenho onde dormir", insistiu Elias.

"Já lhe disse que sou pobre. Mal tenho para mim mesma e meu filho."

"O Senhor pediu que me deixasses ficar, Ele nunca abandona quem ama. Faz o que te peço."

Confusa com o sonho daquela noite, e mesmo sabendo que o estranho era inimigo de uma princesa de Tiro, a mulher resolveu obedecer.

Diz a Bíblia:

"Foi ela, e fez segundo a palavra de Elias; assim comeram ele, ela e a sua casa, por muitos dias.

"Da panela a farinha não se acabou, e da botija o azeite não faltou, segundo a palavra do Senhor, por intermédio de Elias."

———·:·———

A presença de Elias logo foi percebida pelos vizinhos. E correu a notícia de que um profeta israelita, fugindo de Jezabel, estava escondido na cidade. Uma comissão foi procurar o sacerdote.

"Não se preocupem com isso", disse o sacerdote. "A tradição nos manda oferecer abrigo aos estrangeiros. Além do mais, aqui ele está sob nosso controle, e poderemos vigiar seus passos."

Embora Elias fosse um adorador do Deus Único e um potencial inimigo da princesa, o sacerdote exigiu que o direito de asilo fosse respeitado. Todos conheciam a antiga tradição: se uma cidade negasse abrigo a um viajante, os filhos de seus habitantes passariam pela mesma dificuldade. Como a maior parte do povo de Akbar tinha seus descendentes espalhados pela gigantesca frota mercante do país, ninguém ousou desafiar a lei da hospedagem.

Elias foi pouco a pouco se integrando na vida de Sarepta. Como todos os seus habitantes, passou a chamá-la de Akbar. Conheceu o governador, o comandante da guarnição, o sacerdote, os mestres que faziam trabalhos em vidro e que eram admirados em toda a região. Quando lhe perguntavam o que fazia por ali, ele falava a verdade: Jezabel estava matando todos os profetas em Israel.

"Você é um traidor", diziam. "Jezabel está salvando o povo israelita."

O sacerdote ironizava Elias:

"Parece que uma jovem de Tiro é mais poderosa que seu Deus Único. Ela conseguiu erguer um altar para Baal, e os antigos sacerdotes agora se ajoelham diante dele."

"Tudo acontecerá como foi escrito pelo Senhor", respondia o profeta. "Há momentos em que as tribulações acontecem em nossas vidas, e não podemos evitá-las. Mas estão ali por algum motivo."

"Que motivo?"

"É uma pergunta que não podemos responder antes das dificuldades — ou durante elas. Só quando as ultrapassamos, entendemos por que estavam ali."

Diz a Bíblia:

"Depois disso, adoeceu o filho da mulher, a dona da casa."

———·⁙·———

Sem que houvesse qualquer motivo, o filho da viúva caiu doente. Os vizinhos atribuíram o fato à presença do estrangeiro em sua casa, e a mulher pediu que Elias fosse embora. Mas ele não foi — o Senhor ainda não o havia chamado. Começaram a correr boatos de que aquele estrangeiro trouxera com ele a ira dos deuses do Monte Cinco.

Na entrada do vale, algumas patrulhas assírias haviam acampado, e pareciam dispostas a ficar. Era um pequeno grupamento de soldados, que não representava qualquer ameaça — mesmo assim, o comandante solicitou ao governador que tomasse alguma providência.

"Não nos fizeram nada", disse o governador. "Devem estar em missão comercial, procurando uma rota melhor para seus produtos. Se resolverem usar nossas estradas, pagarão impostos — e ficaremos mais ricos ainda. Para que provocá-los?"

Era possível controlar o exército e acalmar a população sobre as patrulhas estrangeiras. Mas, com a doença do filho da viúva, o governador passou a ter dificuldades em tranquilizar a população a respeito de Elias.

Uma missão de habitantes foi conversar com ele.

"Podemos construir uma casa para o israelita do lado de fora das muralhas", disseram. "Dessa maneira, não violamos a lei da hospedagem, mas nos protegemos contra a ira divina. Os deuses não estão contentes com a presença deste homem."

"Deixem-no ficar onde está", respondeu o governador. "Não quero criar problemas políticos com Israel."

"Como?", perguntaram os habitantes. "Jezabel está atrás de todos os profetas que adoram o Deus Único, e deseja matá-los."

"Nossa princesa é uma mulher valente, e fiel aos deuses do Monte Cinco. Mas, por mais poder que tenha agora, não é israelita. Amanhã pode cair em desgraça, e teremos que enfrentar a ira de nossos vizinhos; se mostrarmos que tratamos bem um de seus profetas, serão complacentes conosco."

Os habitantes saíram descontentes, mas não podiam fazer nada. A tradição dizia que a família governante precisava ser respeitada.

Ao longe, na entrada do vale, as tendas dos guerreiros assírios começaram a se multiplicar.

O comandante preocupava-se, mas não tinha apoio do sacerdote e do governador. Procurava manter seus guerreiros em treinamento constante, embora sabendo que nenhum deles — nem seus avós — havia conhecido a experiência do combate. As guerras eram coisas do passado de Akbar, e todas as estratégias que aprendera tinham sido superadas por novas técnicas e novas armas que os países estrangeiros usavam.

"Akbar sempre negociou sua paz", dizia o governador. "Não será desta vez que seremos invadidos. Deixe que os países estrangeiros lutem entre si: nós temos uma arma muito mais poderosa que eles — o dinheiro. Quando eles terminarem de se destruir entre si, entraremos em suas cidades e venderemos nossos produtos."

O governador conseguiu tranquilizar a população quanto aos assírios. Mas corriam boatos de que o israelita trouxera a maldição dos deuses para Akbar. Elias tornava-se um problema cada vez maior.

Diz a Bíblia:

"A doença se agravou tanto que o filho da dona da casa morreu. Então disse ela a Elias:

"'Que fiz eu, ó homem de Deus? Vieste a mim para trazeres as minhas faltas e matares meu filho?'"

———·:·———

Certa manhã, o filho da viúva morreu.

"Meu único filho!", gritava ela. "Porque respeitei a vontade dos céus, porque fui generosa com um estrangeiro, meu filho terminou morrendo!"

Os vizinhos escutaram os lamentos da viúva, e viram seu filho estendido no chão da casa. Imediatamente pegaram Elias pelos braços e o levaram à presença do governador.

"Este homem pagou a generosidade com o ódio. Colocou um feitiço na casa da viúva, e seu filho terminou morrendo. Estamos abrigando alguém que é amaldiçoado pelos deuses."

O israelita chorava, perguntando-se: "Ó senhor meu

Deus, até esta viúva, que foi generosa comigo, Tu resolveste afligir? Se mataste o seu filho, é porque não estou cumprindo a missão que me foi confiada, e mereço a morte".

Naquela tarde, o conselho da cidade de Akbar foi reunido, sob a presidência do sacerdote e do governador. Elias foi trazido a julgamento.
"Resolveste retribuir o amor com o ódio. Por isso, eu o condeno à morte", disse o governador.
Elias abaixou a cabeça. Merecia todo o sofrimento que pudesse aguentar, porque o Senhor o abandonara.
"Você irá subir o Monte Cinco", disse o sacerdote. "Irá pedir perdão aos deuses ofendidos. Eles farão com que o fogo dos céus desça para matá-lo. Caso não façam isso, é porque desejam que a justiça seja cumprida por nossas mãos; nós o estaremos esperando na descida, e será executado amanhã, segundo o ritual."
Elias conhecia bem as execuções sagradas: arrancavam o coração do peito e decepavam a cabeça. Segundo o costume, um homem sem coração não conseguia entrar no Paraíso.
"Por que me escolheste para isso, Senhor?", clamava. "Não vês que sou incapaz de cumprir o que exigiste?"
Não escutou nenhuma resposta.

Os homens e mulheres de Akbar seguiram em cortejo o grupo de guardas que levavam o israelita até a frente do Monte Cinco. Gritavam palavras ofensivas e atiravam pedras. Só com muito custo a fúria da multidão foi controlada pelos soldados. Depois de meia hora de caminhada, chegaram ao pé da montanha sagrada.

O grupo parou diante dos altares de pedra, onde o povo costumava deixar suas oferendas e sacrifícios, seus pedidos e suas preces. Todos conheciam as histórias de gigantes que viviam no local e lembravam-se de pessoas que desafiaram a proibição, sendo atingidas pelo fogo do céu. Os viajantes que passavam de noite pelo vale garantiam que eram capazes de ouvir as risadas dos deuses e deusas se divertindo lá em cima.

Mesmo que não se tivesse certeza de tudo isso, ninguém se atrevia a desafiar os deuses.

"Vamos", disse um soldado, empurrando Elias com a ponta de sua lança. "Quem matou uma criança, merece sofrer o pior dos castigos."

Elias pisou o terreno proibido e começou a subir a encosta. Ao final de algum tempo de caminhada, quando já não podia mais escutar os gritos dos habitantes de Akbar, sentou-se numa pedra e chorou: deixara sua terra natal em busca de um sonho, e não conseguira nada além de trazer a desgraça aos outros.

Tinha apostado toda a sua vida numa ideia errada. Desde criança, ouvia vozes — mas quem podia garantir que elas vinham da força da luz, e não das trevas? Fora induzido por seus pais a procurar os sacerdotes de Israel, que logo o identificaram como um profeta, um "homem do espírito", aquele que "se exalta com a voz de Deus". Muitas gerações atrás, com a subida do rei Samuel ao trono, os profetas ganharam importância nos negócios e no governo de seu país. Podiam casar-se, ter filhos, mas deviam estar sempre à disposição do Senhor, para que os governantes jamais se afastassem do caminho correto.

Elias ouvia vozes e tinha visões. Mas era diferente de outros profetas, que usavam mantos de pele e cintos de couro, e diziam que o Senhor os escolhera para guiar o povo eleito. Nunca conseguira provocar seu transe com danças ou autoflagelação, uma prática normal entre os "exaltados pela voz de Deus". Jamais pudera exibir orgulhosamente as cicatrizes dos ferimentos conseguidos durante o estado de êxtase. Assim que pôde, abandonou sua família e tornou-se carpinteiro.

Ele era uma pessoa comum, que se vestia como todas as outras e que torturava sua alma com os mesmos temores e tentações dos simples mortais. O Senhor lhe falava apenas quando tinha vontade.

Será que falava mesmo? Em Gileade, sua cidade natal, existiam algumas pessoas consideradas loucas pelos habitantes. Não conseguiam dizer coisas coerentes e eram incapazes de distinguir entre a voz do Senhor e os delírios da insanidade. Passavam suas vidas nas ruas, pregando o fim do mundo e vivendo da caridade alheia. Nenhum dos sacerdotes as considerava "exaltados pela voz de Deus". A Elias, porém, havia sido reservado um tratamento diferente: tudo o que dizia era escutado com respeito.

Quando soube do casamento de seu rei com a princesa de Tiro, escutara a voz do Senhor, pedindo que fosse até o palácio real. Ali chegando, ele avisou ao rei que uma seca iria assolar a região até que o culto dos deuses fenícios fosse abandonado.

O soberano não dera grande importância às suas palavras, mas a princesa Jezabel — que acabara de erguer um altar para o deus Baal, em Samaria — percebeu a ameaça que os profetas representavam. No dia seguinte, ordenou que todos fossem mortos.

Quatrocentos e cinquenta profetas — ou *nābi*, como também eram conhecidos — foram imediatamente executados. O Senhor perdera suas vozes em Israel, e o culto dos deuses fenícios começou a ficar cada vez mais forte. Elias sabia que havia causado a morte daqueles homens, mas jamais se culpara por isso; afinal, tinha certeza de que ele também seria sacrificado e que os céus encontrariam um líder capaz de reconduzir as tribos do povo eleito de volta ao Deus verdadeiro.

Em vez disso, o Senhor ordenara que partisse de Israel e fosse para Akbar. Sentira-se como um covarde, mas seguira o que lhe fora ordenado. Lutara para adaptar-se àquele povo estranho, gentil, mas com uma cultura completamente distinta. Quando achou que estava cumprindo o seu destino, o filho da viúva morrera.

"Por que eu?"

Era responsável pela morte de uma criança e pelo assassinato dos profetas. Merecia o pior de todos os sofrimentos.

Levantou-se, caminhou mais um pouco e terminou entrando na neblina que cobria o topo da montanha. Podia aproveitar a falta de visibilidade para fugir de seus perseguidores, mas que importância tinha isso? Seria obrigado a conviver o resto de sua vida com a sombra daqueles mortos. Era preferível deixar que seu coração fosse arrancado do peito e sua cabeça, cortada.

Tornou a sentar-se, dessa vez no meio da neblina. Estava decidido a esperar um pouco, de modo que os homens lá embaixo pensassem que ele havia subido até o topo do Monte; depois retornaria a Akbar, entregando-se aos seus captores.

"O fogo do céu." Muitas pessoas já haviam sido mortas por ele, embora Elias duvidasse que fosse enviado pelo Senhor. Em noites sem lua, seu brilho cruzava o firmamento, aparecendo e desaparecendo de repente. Talvez queimasse. Talvez matasse instantaneamente, sem sofrimento.

A noite caiu, e a neblina dissipou-se. Pôde ver o vale lá embaixo, as luzes de Akbar e as fogueiras do acampamento assírio. Escutou o latido dos cães e o canto de guerra dos guerreiros.

"Estou pronto", disse para si mesmo. "Fui um fracasso em minha vida, e agora devo abandonar este mundo."

Nesse momento, uma luz desceu até ele.

"O fogo do céu!"

A luz, entretanto, permaneceu na sua frente. E uma voz disse:

"Sou um anjo do Senhor."

Elias ajoelhou-se e colocou o rosto na terra.

"Quando voltares à cidade, pede três vezes para que o menino retorne à vida. O Senhor te escutará na terceira vez."

"Mesmo que isso aconteça, já duvidei de mim mesmo. E não sou mais digno de minha tarefa", respondeu Elias.

"Todo homem tem direito de duvidar de sua tarefa e de abandoná-la de vez em quando; a única coisa que não pode fazer é esquecê-la. Quem não duvida de si mesmo é indigno — porque confia cegamente na sua capacidade e peca por orgulho. Bendito seja todo aquele que passa por momentos de indecisão."

Elias chorou novamente. "Por que aconteceu tudo isso? Matar o filho de alguém que me acolheu quando precisei?"

"Vai, e segue o que digo."

Elias desceu a montanha até o lugar onde ficavam os altares de sacrifício. Os guardas o esperavam, mas a multidão já havia retornado a Akbar.

"Estou pronto para a morte", disse ele. "Antes, porém, quero passar na casa da viúva que me acolheu e pedir-lhe que tenha piedade de minha alma."

Os soldados o conduziram de volta e foram à presença do sacerdote. Ali, transmitiram o que o israelita havia pedido.

"Farei o que pede", disse o sacerdote para o prisioneiro. "Já que pediu perdão aos deuses, deve fazê-lo também à viúva. Para que não fuja, será acompanhado de quatro soldados armados. Assim que amanhecer, nós o executaremos no centro da praça."

O sacerdote quis perguntar o que vira no alto do Monte Cinco. Mas estava na presença dos soldados, e a resposta podia deixá-lo embaraçado. Por isso, resolveu ficar calado, mas achou uma boa ideia Elias pedir perdão em público; ninguém mais teria dúvidas do poder dos deuses do Monte Cinco.

Elias e os soldados foram até a ruela pobre onde habitara durante alguns meses. A casa da viúva estava com as janelas e porta abertas, de modo que — segundo o costume — a alma de seu filho pudesse sair, para ir morar com os deuses. O corpo estava no centro da pequena sala, velado por toda a vizinhança.

Quando notaram a presença do israelita, homens e mulheres ficaram revoltados.

"Tirem-no daqui!", gritaram para os guardas. "Ou faremos justiça agora mesmo!"

Enfrentando os empurrões e os tapas, Elias dirigiu-se até a viúva, que chorava num canto.

"Posso trazê-lo de volta dos mortos. Deixe-me pegar o seu filho", disse. "Só por um instante."

A viúva nem sequer levantou a cabeça.

"Por favor", insistiu ele. "Nem que seja a última coisa que você faça por mim nesta vida, me dê uma chance de tentar retribuir sua generosidade."

Alguns homens o agarravam, para afastá-lo dali. Mas Elias se debatia e lutava com todas as suas forças, implorando para que o deixassem tocar a criança morta.

Embora fosse jovem e disposto, terminou sendo empurrado para a porta da casa. "Anjo do Senhor, onde estás?", gritou para os céus.

Nesse momento, todos pararam. A viúva havia se levantado e dirigia-se até ele. Pegando-o pelas mãos, levou-o até onde estava o cadáver do filho e tirou o lençol que o cobria.

"Eis aqui o sangue do meu sangue", disse. "Que ele desça sobre a cabeça dos seus parentes se você não conseguir o que deseja."

Ele se aproximou para tocá-lo.

"Um momento", disse a viúva. "Antes, peça a seu Deus que a minha maldição se cumpra."

O coração de Elias estava disparado. Mas acreditava no que o anjo dissera.

"Que o sangue deste menino desça sobre meus pais e irmãos, e sobre os filhos e filhas de meus irmãos, se eu não fizer o que disse."

E diz a Bíblia:

"Ele tomou-o dos braços dela e o levou para cima, ao quarto onde ele mesmo habitava. Então clamou aos céus, dizendo:

"'Ó Senhor, até esta viúva com quem me hospedo afligiste, matando seu filho?'

"E estendendo-se três vezes sobre o menino, clamou ao Senhor e disse: 'Ó Senhor meu Deus, que faças a alma deste menino tornar a entrar nele'.

"O Senhor atendeu a voz de Elias; e a alma do menino tornou a entrar nele, e ele reviveu."

———✧———

Elias fez exatamente o que o anjo mandara, e o garoto abriu os olhos, como se estivesse despertando de um longo sono. Com o menino nos braços, ele desceu até a sala; ao ver aquilo, a viúva atirou-se de joelhos e começou a gritar:

"Nisto conheço que és homem de Deus! A verdade do Senhor sai de tuas palavras!"

Elias abraçou-a, pedindo que se levantasse.

"Soltem este homem!", ela disse para os soldados. "Ele combateu o mal que havia se abatido em minha casa!"

As pessoas que estavam ali reunidas não podiam acreditar no que viam. Uma moça de vinte anos, que trabalhava como pintora, ajoelhou-se ao lado da viúva. Pouco a pouco, todos foram imitando seu gesto — inclusive os soldados que estavam encarregados de conduzi-lo ao cativeiro.

"Levantem-se", pediu ele. "E adorem o Senhor. Eu sou apenas um de seus servos, talvez o mais despreparado."

Mas todos continuavam ajoelhados, de cabeça baixa.

"Você conversou com os deuses no Monte Cinco", escutou uma voz dizer. "E agora pode fazer milagres."

"Não há deuses ali. Vi um anjo do Senhor, que me ordenou fazer isto."

"Você esteve com Baal e seus irmãos", disse outra pessoa.

Elias abriu caminho, empurrando as pessoas ajoelhadas e saindo para a rua. Seu coração continuava disparado, como se não tivesse cumprido direito a tarefa que o anjo lhe ensinara. "De que adianta ressuscitar um morto, se ninguém acredita de onde vem tanto poder?" O anjo lhe pedira que clamasse três vezes o nome do Senhor, mas nada lhe dissera sobre explicar o milagre para a multidão no andar de baixo. "Será que, à maneira dos antigos profetas, tudo que quis foi mostrar minha vaidade?", perguntava a si mesmo.

Ele escutou a voz de seu anjo da guarda, com quem conversava desde a infância.

"Estiveste hoje com um anjo do Senhor."

"Sim", respondeu Elias. "Mas os anjos do Senhor não conversam com os homens; apenas transmitem as ordens que vêm de Deus."

"Usa o teu poder", disse o anjo da guarda.

Elias não entendeu o que ele queria dizer com isso. "Não tenho poder que não venha do Senhor", disse.

"Ninguém tem. Mas todo mundo tem o poder do Senhor, e ninguém o usa."

E o anjo lhe disse mais:

"A partir de agora, e até o momento em que voltares para a terra que deixaste, nenhum outro milagre te será permitido."

"E quando isto acontecerá?"

"O Senhor precisa de ti para reconstruir Israel", disse o anjo. "Pisarás de novo seu solo quando aprenderes a reconstruir."

E não disse mais nada.

O sacerdote fez as orações para o sol que nascia — e pediu ao deus da Tempestade e à deusa dos Animais que tivessem piedade dos tolos. Alguém lhe contara, naquela manhã, que Elias trouxera o filho da viúva de volta do reino dos mortos.

A cidade estava assustada e excitada ao mesmo tempo. Todos acreditavam que o israelita recebera seu poder dos deuses no Monte Cinco, e agora ficava muito mais difícil acabar com ele. "Mas chegará a hora certa", disse para si mesmo.

Os deuses fariam surgir uma oportunidade para acabar com ele. Mas a cólera divina tinha outro motivo, e a presença dos assírios na entrada do vale era um sinal. Por que as centenas de anos de paz estavam a ponto de terminar? Ele tinha a resposta: a invenção de Biblos. Seu país havia desenvolvido uma forma de escrita acessível a todos — mesmo àqueles que não estavam preparados para utilizá-la. Qualquer pessoa podia aprendê-la em pouco tempo, e isso seria o fim da civilização.

O sacerdote sabia que, de todas as armas de destruição que o homem foi capaz de inventar, a mais terrível — e a mais poderosa — era a palavra. Punhais e lanças deixavam vestígios de sangue; flechas podiam ser vistas à distância. Venenos terminavam por ser detectados e evitados.

Mas a palavra conseguia destruir sem pistas. Se os rituais sagrados pudessem ser difundidos, muita gente iria poder utilizá-los para tentar modificar o Universo, e os deuses ficariam confusos. Até aquele momento, só a casta sacerdotal conhecia a memória dos antepassados — que era transmitida oralmente, sob juramento de que as informações seriam mantidas em segredo. Ou, então, eram necessários anos de estudo para conseguir decifrar os caracteres que os egípcios haviam espalhado pelo mundo; dessa maneira, só os que estavam muito preparados — escribas e sacerdotes — podiam trocar informações.

Outras culturas tinham suas formas rudimentares de registro da história, mas eram tão complicadas que ninguém se preocuparia em tentar aprendê-las fora das regiões onde eram usadas. A invenção de Biblos, porém, tinha um aspecto explosivo: podia ser usada por qualquer país, independentemente da língua que falavam. Até mesmo os gregos, que geralmente rejeitavam tudo que não nascia em suas cidades, já tinham adotado a escrita de Biblos como prática corrente em suas transações comerciais. Como eram especialistas em se apropriar de tudo que pudesse ser novidade, já tinham batizado a invenção de Biblos com um nome grego: *alfabeto*.

Os segredos guardados durante séculos de civilização corriam o risco de serem expostos à luz. Comparado com isso, o sacrilégio de Elias — trazendo alguém da outra margem do rio da morte, como os egípcios costumavam fazer — não significava nada.

"Estamos sendo punidos porque já não podemos mais guardar com cuidado o que é o sagrado", pensou. "Os assírios estão na nossa porta, atravessarão o vale e destruirão a civilização de nossos antepassados."

E acabariam com a escrita. O sacerdote sabia que a presença do inimigo não era um acaso.

Era o preço a pagar. Os deuses haviam planejado tudo muito bem, de modo que ninguém percebesse que eram eles os responsáveis; colocaram no poder um governador mais preocupado com os negócios que com o exército, exaltaram a cobiça dos assírios, fizeram com que a chuva escasseasse cada vez mais, e trouxeram um infiel para dividir a cidade. Em breve, o combate final seria travado.

Akbar continuaria existindo, mesmo depois disso — mas a ameaça dos caracteres de Biblos seria para sempre riscada da face da Terra. O sacerdote limpou com cuidado a pedra que assinalava o local onde, muitas gerações atrás, o peregrino estrangeiro encontrara o lugar indicado pelos céus e fundara a cidade. "Como é bela", pensou. As pedras eram uma imagem dos deuses — duras, resistentes, sobrevivendo em quaisquer condições, sem precisarem explicar por que estavam ali. A tradição oral dizia que o centro do mundo era marcado por uma pedra, e na sua infância ele chegou a pensar em procurar onde ela estava. Alimentara a ideia até este ano. Mas quando viu a presença dos assírios no fundo do vale entendeu que jamais realizaria seu sonho.

"Não tem importância. Coube à minha geração ser oferecida em sacrifício por ter ofendido os deuses. Há coisas inevitáveis na história do mundo, e precisamos aceitá-las."

Prometeu a si mesmo obedecer aos deuses: não procuraria evitar a guerra.

"Talvez tenhamos chegado ao final dos tempos. Não há como contornar as crises que se avolumam cada vez mais."

O sacerdote pegou seu bastão e saiu do pequeno templo; havia marcado um encontro com o comandante da guarnição de Akbar.

Estava quase chegando à muralha do sul quando foi abordado por Elias.

"O Senhor trouxe um menino dos mortos", disse o israelita. "A cidade acredita no meu poder."

"O menino não devia estar morto", respondeu o sacerdote. "Já aconteceu outras vezes; o coração para e logo volta a bater. Hoje, toda a cidade está falando disso; amanhã, lembrarão que os deuses estão próximos e podem escutar o que estão dizendo. Então, suas bocas tornarão a emudecer. Preciso ir, porque os assírios se preparam para o combate."

"Assim como o Senhor ontem atendeu as minhas súplicas, Ele me inspira para dizer: procurem a paz. Deixem a guerra para os outros."

O governador aproximou-se; vinha com um grupo de cortesãos, e perguntou:

"O que você está dizendo?"

"Que procurem a paz", repetiu Elias.

"Se tem medo, volte para o lugar de onde veio", respondeu secamente o sacerdote.

"Jezabel e seu rei estão esperando os profetas fugitivos para matá-los", disse o governador. "Mas gostaria de ouvir o que tem a dizer; como foi capaz de subir o Monte Cinco sem ser destruído pelo fogo do céu?"

O sacerdote precisava interromper aquela conversa. O governador estava pensando em negociar com os assírios, e podia querer utilizar Elias para os seus propósitos.

"Não dê ouvidos a ele", disse. "Ontem, quando foi trazido à minha presença para ser julgado, vi que chorava de medo."

"Meu pranto era pelo mal que pensava ter causado. Pois só tenho medo de duas coisas: do Senhor e de mim mesmo. Não fugi de Israel, e estou pronto para voltar assim que o Senhor permitir. Acabarei com sua bela princesa, e a fé de Israel sobreviverá a mais esta ameaça."

"É preciso ter o coração muito duro para resistir aos encantos de Jezabel", ironizou o sacerdote. "Entretanto, mesmo que isto acontecesse, enviaríamos outra mulher, mais bela ainda, como já fizemos antes de Jezabel."

O sacerdote falava a verdade. Duzentos anos antes uma princesa de Tiro seduzira o mais sábio de todos os governantes de Israel — o rei Salomão. Ela o fizera construir um altar em homenagem à deusa Astarte, e Salomão obedecera. Por causa do sacrilégio, o Senhor levantara os exércitos vizinhos, e Salomão fora destronado.

"O mesmo vai acontecer com o marido de Jezabel", pensou Elias. O Senhor o faria cumprir sua tarefa quando chegasse a hora. Mas de que adiantava tentar convencer aqueles homens à sua frente? Eles eram como os que vira na noite anterior, ajoelhados no solo da casa da viúva, louvando os deuses do Monte Cinco. A tradição jamais os deixaria pensar de uma maneira diferente.

"Pena que precisamos respeitar a lei da hospedagem", disse o governador, que aparentemente já esquecera os comentários de Elias sobre a paz. "Se não fosse assim, ajudaríamos Jezabel em sua tarefa de acabar com os profetas."

"Não é esta a razão de pouparem minha vida. Sabem que — desde ontem — o povo me atribui poderes milagrosos. Em nada lhes incomodaria ofender os deuses, mas não desejam irritar os homens."

O governador e o sacerdote deixaram Elias falando sozinho e seguiram em direção às muralhas.

Seu anjo lhe sussurrou no ouvido:

"Aproveita todas as oportunidades da tua vida, porque, quando elas passam, demoram muito tempo para voltar."

"O que posso fazer?"

"O que faz um homem quando não o escutam? Ele não fica jogando suas palavras ao vento, mas começa dizendo algo que todos desejam ouvir."

Elias começou a gritar no meio da praça:

"Povo de Akbar! Ontem à noite subi o Monte Cinco e conversei com os deuses que lá habitam. Assim que voltei, fui capaz de trazer um menino do reino dos mortos!"

As pessoas se agruparam em torno dele; a história já era conhecida em toda a cidade. O governador e o sacerdote detiveram-se no meio do caminho e voltaram para ver o que estava acontecendo; o profeta israelita falava que tinha visto os deuses do Monte Cinco adorando um Deus superior.

"Mandarei matá-lo", disse o sacerdote.

"E a população se rebelará contra nós", respondeu o governador, que tinha interesse no que o estrangeiro estava dizendo. "É melhor esperar que cometa um erro."

"Antes de descer a montanha, os deuses me encarregaram de ajudar o governador contra a ameaça dos assírios!", continuou Elias. "Sei que ele é um homem honrado e quer me ouvir, mas existem pessoas interessadas na guerra, e não deixam que eu me aproxime dele."

"O israelita é um homem santo", disse um velho para o governador. "Ninguém pode subir no Monte Cinco sem ser fulminado pelo fogo do céu, mas esse homem conseguiu — e agora ressuscita os mortos."

"Tiro, Sidon e todas as cidades fenícias têm a tradição da paz", disse outro velho. "Já passamos por outras ameaças piores e conseguimos dominá-las."

Alguns doentes e aleijados começaram a se aproximar, abrindo caminho na multidão, tocando a roupa de Elias e pedindo que os curasse de seus males.

"Antes de aconselhar o governador, cure os enfermos", disse o sacerdote. "Então acreditaremos que os deuses do Monte Cinco estão com você."

Elias lembrou-se do que o anjo dissera na noite anterior: só a força das pessoas comuns lhe seria permitida. Embora soubesse que muita gente desenvolvia o dom de curar, não queria arriscar-se a um fracasso — que podia ser mortal.

"Os doentes estão pedindo ajuda", insistiu o sacerdote. "Estamos aguardando."

"Antes cuidaremos de evitar a guerra. Haverá mais enfermos, mais doentes, se não conseguirmos."

O governador interrompeu a conversa:

"Elias virá conosco. Ele foi tocado pela inspiração divina."

Embora não acreditasse que existissem deuses no Monte Cinco, o governador precisava de um aliado para ajudá-lo a convencer o povo de que a paz com os assírios era a única saída.

Enquanto caminhavam para o encontro com o comandante, o sacerdote comentou com Elias:

"Você não acredita em nada do que disse."

"Acredito que a paz é a única saída. Mas não acredito que o alto daquela montanha seja habitado por deuses. Eu estive lá."

"E o que viu?"

"Um anjo do Senhor. Eu já tinha visto esse anjo antes, em diversos lugares por onde andei", respondeu Elias. "E só existe um Deus."

O sacerdote riu.

"Quer dizer que, na sua opinião, o mesmo deus que fez a tempestade fez também o trigo, embora sejam coisas completamente diferentes."

"Você está vendo o Monte Cinco?", perguntou Elias. "De cada lado que olhar, ele vai parecer diferente — embora seja a mesma montanha. Assim é com tudo que foi criado: muitas faces do mesmo Deus."

Chegaram ao alto da muralha, de onde se via o acampamento inimigo à distância. No vale desértico, as tendas brancas saltavam aos olhos.

"O que faz este estrangeiro com vocês?", perguntou o comandante.

"Foi iluminado pelos deuses", respondeu o governador. "E irá nos ajudar a descobrir a melhor saída."

Rapidamente mudou de conversa:

"Parece que o número de tendas aumentou hoje."

"E aumentará mais ainda amanhã", disse o comandante. "Se tivéssemos atacado quando eram apenas uma patrulha, eles provavelmente não teriam voltado."

"Você está enganado. Algum deles terminaria escapando, e voltariam para se vingar."

"Quando adiamos a colheita, os frutos apodrecem", insistiu o comandante. "Mas quando adiamos os problemas, eles não param de crescer."

Não era bem assim, pensou o governador. A paz que reinava na Fenícia havia quase três séculos era o grande orgulho de seu povo. O que diriam as gerações futuras se ele interrompesse essa era de prosperidade?

"Envie um emissário para negociar com eles", disse

Elias. "O melhor guerreiro é aquele que consegue transformar o inimigo em amigo."

"Não sabemos exatamente o que eles querem. Não sabemos mesmo se desejam conquistar nossa cidade. Como podemos negociar?"

"Há sinais de ameaça. Um exército não perde seu tempo fazendo exercícios militares longe de seu país."

A cada dia chegavam mais soldados — e o governador ficava imaginando a quantidade de água que seria necessária para todos aqueles homens. Em pouco tempo a cidade estaria indefesa diante do exército inimigo.

"Podemos atacar agora?", perguntou o sacerdote ao comandante.

"Sim, podemos. Vamos perder muitos homens, mas a cidade será salva. Entretanto, temos que decidir logo."

"Não devemos fazer isso, governador. Os deuses do Monte Cinco me disseram que ainda temos tempo de encontrar uma solução pacífica", disse Elias.

Mesmo tendo escutado a conversa do sacerdote com o israelita, o governador fingiu acreditar. Para ele, tanto fazia que Sidon e Tiro fossem governadas pelos fenícios, pelos cananeus ou pelos assírios; o importante era que a cidade pudesse continuar comerciando seus produtos em paz.

"Vamos atacar", insistiu o sacerdote.

"Mais um dia", pediu o governador. "Pode ser que as coisas se resolvam."

Precisava decidir logo a melhor forma de enfrentar a ameaça dos assírios. Desceu da muralha e dirigiu-se para o palácio, e pediu que o israelita o acompanhasse.

No caminho, observou o povo à sua volta; os pastores levando as ovelhas para as montanhas, os agricultores indo para os campos, tentando arrancar da terra seca um pouco de sustento para si e suas famílias. Soldados faziam exercícios com lanças e alguns mercadores recém-chegados expunham seus produtos na praça. Por mais incrível que pudesse parecer, os assírios não haviam fechado a estrada que atravessava o vale em toda a sua extensão; os comerciantes continuavam circulando com as mercadorias e pagando à cidade a taxa pelo transporte.

"Agora que conseguiram reunir uma força poderosa, por que não fecham a estrada?", quis saber Elias.

"O império assírio precisa dos produtos que chegam aos portos de Sidon e Tiro", respondeu o governador. "Se os comerciantes fossem ameaçados, interromperiam o fluxo de suprimentos. E as consequências seriam mais graves que uma derrota militar. Deve haver uma maneira de evitar a guerra."

"Sim", disse Elias. "Se desejam água, podemos vendê-la."

O governador não disse nada. Mas percebeu que podia usar o israelita como uma arma contra os que desejavam a guerra; ele subira no alto do Monte Cinco, desafiara os deuses, e, caso o sacerdote resolvesse insistir com a ideia de lutar contra os assírios, Elias seria o único que poderia enfrentá-lo. Sugeriu que fossem dar um passeio juntos, para conversar um pouco.

Algum tempo atrás, quando sentinelas haviam notado a presença dos assírios numa das extremidades do vale, os espiões disseram que estavam ali em missão de reconhecimento. O comandante sugeriu que fossem presos e vendidos como escravos. O governador decidira por outra estratégia: não fazer nada. Apostava no fato de que, estabelecendo boas relações com eles, podia abrir um novo mercado para o comércio de vidros fabricados em Akbar; além do mais, mesmo que estivessem ali para preparar uma guerra, os assírios sabiam que as cidades pequenas estão sempre do lado dos vencedores. Nesse caso, tudo que os generais assírios desejavam era passar por eles sem resistência, em busca de Tiro e Sidon. Estas, sim, eram as cidades que guardavam o tesouro e o conhecimento de seu povo.

A patrulha acampara na entrada do vale, e — pouco a pouco — foram chegando reforços. O sacerdote dizia conhecer a razão: a cidade tinha um poço de água, o único poço em vários dias de caminhada pelo deserto. Se os assírios quisessem conquistar Tiro ou Sidon, precisavam daquela água para abastecer seus exércitos.

No final do primeiro mês ainda podiam expulsá-los. No final do segundo mês ainda podiam vencer com facilidade e negociar uma retirada honrosa dos soldados assírios.

Ficaram aguardando o combate, mas eles não atacavam. No final do quinto mês ainda podiam ganhar a batalha. "Vão atacar logo, porque devem estar passando sede", dizia o governador para si mesmo. Pediu que o comandante elaborasse estratégias de defesa e treinasse constantemente seus homens para reagirem a um ataque de surpresa.

Mas concentrava-se apenas na preparação da paz.

Elias tornou a olhar o gigantesco acampamento. Meio ano já se havia passado, e o exército assírio não se movia. A tensão em Akbar, que crescera durante as primeiras semanas de ocupação, tinha diminuído por completo; as pessoas continuavam suas vidas, os agricultores tornavam a ir para os campos, os artesãos fabricavam o vinho, o vidro e o sabão, os comerciantes seguiram vendendo e comprando suas mercadorias. Todos acreditavam que, como Akbar não atacara o inimigo, era porque a crise seria em breve resolvida com negociações. Sabiam que o governador era indicado pelos deuses e conhecia sempre a melhor decisão a tomar. Estavam convencidos de que, com a expulsão do estrangeiro israelita, o Universo voltaria ao seu lugar, e os assírios iriam embora.

Isso até a noite anterior. Porque hoje, depois do milagre da ressurreição, a presença de Elias era uma garantia de que os deuses não haviam abandonado Akbar.

O sacerdote permaneceu no alto da muralha, observando o inimigo.

"O que os deuses podem fazer para deter os invasores?", perguntou o comandante.

"Tenho conduzido os sacrifícios diante do Monte Cinco. Tenho pedido que nos enviem um chefe mais corajoso."

"Devíamos agir como Jezabel: acabar com os profetas. Um simples israelita, que ontem estava condenado à morte, hoje é usado pelo governador para convencer a população sobre a paz."

O comandante olhou para a montanha.

"Podemos encomendar o assassinato de Elias. E usar meus guerreiros para afastar o governador de suas funções."

"Ordenarei que Elias seja morto", respondeu o sacerdote. "Quanto ao governador, não podemos fazer nada: seus antepassados estão no poder há várias gerações. Seu avô foi nosso chefe, passou o poder dos deuses para seu pai, que passou para ele."

"Por que a tradição nos impede de colocar no governo uma pessoa mais eficiente?"

"A tradição existe para manter o mundo em ordem. Se mexermos nisso, o mundo acaba."

O sacerdote olhou à sua volta. O céu e a terra, as montanhas e o vale, cada coisa cumprindo o que havia sido escrito para ela. Às vezes o chão tremia, outras vezes — como agora — passava muito tempo sem chover. Mas as estrelas continuavam em seus lugares, e o sol não tinha desabado sobre a cabeça dos homens. Tudo porque, desde o Dilúvio, os homens haviam aprendido que era impossível mudar a ordem da Criação.

No passado, existia apenas o Monte Cinco. Homens e deuses viviam juntos, passeavam pelos jardins do Paraíso, conversavam e riam entre si. Mas os seres humanos haviam pecado, e os deuses os expulsaram de lá; como não tinham para onde enviá-los, terminaram criando a Terra em volta da montanha, para que pudessem jogá-los ali, mantê-los sob vigilância e fazer com que sempre se lembrassem de que estavam num plano muito inferior ao dos moradores do Monte Cinco.

Cuidaram, porém, de deixar aberta uma porta de retorno; se a humanidade seguisse bem o seu caminho, terminaria voltando para o alto da montanha. Para não deixar que essa ideia fosse esquecida, encarregaram os sacerdotes e os governantes de mantê-la viva na imaginação do mundo.

Todos os povos compartilhavam a mesma crença: se as famílias ungidas pelos deuses se afastassem do poder, as consequências seriam graves.

Ninguém se lembrava mais de por que essas famílias haviam sido escolhidas, mas todos sabiam que tinham parentesco com as famílias divinas. Akbar já existia havia centenas de anos, e sempre fora administrada pelos antepassados do atual governador; tinha sido invadida muitas vezes, já estivera nas mãos de opressores e bárbaros, mas, com o passar do tempo, os invasores partiam ou eram expulsos. Então, a antiga ordem se restabelecia, e os homens voltavam a sua vida de antes.

A obrigação dos sacerdotes era preservar esta ordem: o mundo possuía um destino e era governado por leis. O tempo de procurar entender os deuses já havia passado — agora era época de respeitá-los e fazer tudo que queriam. Eles eram caprichosos e se irritavam com facilidade.

Se não houvesse os rituais de colheita, a terra não daria frutos. Se alguns sacrifícios fossem esquecidos, a cidade seria infestada com doenças mortais. Se o deus do Tempo fosse de novo provocado, ele poderia fazer com que o trigo e os homens parassem de crescer.

"Veja o Monte Cinco", disse para o comandante. "Do seu topo, os deuses governam o vale e nos protegem. Eles têm um plano eterno para Akbar. O estrangeiro será morto, ou voltará para a sua terra, o governador desaparecerá um dia e seu filho será mais sábio que ele; o que vivemos agora é passageiro."

"Precisamos de um novo chefe", disse o comandante. "Se continuarmos sem tomar qualquer decisão, seremos destruídos."

O sacerdote sabia que era isso que os deuses queriam, para colocar fim à ameaça da escrita de Biblos. Mas não disse nada.

Elias passeou pela cidade, explicou seus planos de paz ao governador, e foi nomeado seu auxiliar. Quando chegaram no meio da praça, novos doentes se aproximaram — mas ele disse que os deuses do Monte Cinco o haviam proibido de fazer curas. No final da tarde, voltou para a casa da viúva; a criança brincava no meio da rua, e ele agradeceu por ter sido instrumento de um milagre do Senhor.

Ela o esperava para jantar. Para sua surpresa, havia uma garrafa de vinho sobre a mesa.

"Comprei com o pouco que me restava", disse ela. "Para pedir-lhe perdão por minha injustiça."

"Que injustiça?", admirou-se Elias. "Não vê que tudo faz parte dos desígnios de Deus?"

A viúva sorriu, seus olhos brilharam, e ele pôde reparar como era bela. Era pelo menos dez anos mais velha, mas — naquele momento — sentiu uma profunda ternura. Não estava acostumado com isso, e teve medo.

"Embora minha vida tenha sido inútil, pelo menos tive meu filho. E sua história será lembrada, porque voltou do reino dos mortos."

"Sua vida não é inútil. Eu vim para Akbar por ordem do Senhor, e você me acolheu. Se a história do seu filho for lembrada algum dia, tenho certeza de que a sua também será."

A mulher encheu as duas taças. Ambos brindaram ao sol, que se escondia, e às estrelas do céu.

"Você veio de um país distante, seguindo os sinais de um Deus que eu não conhecia, mas que agora se tornou o meu Senhor. Meu filho também voltou de uma terra longínqua, e terá uma bela história para contar aos seus netos. Os sacerdotes recolherão suas palavras."

Os sacerdotes fenícios eram a memória viva do país; lembravam-se de tudo, e podiam passar a história para a próxima geração. Era através da memória dos sacerdotes que as cidades conheciam seu passado, suas conquistas, os deuses antigos, os guerreiros que defenderam a terra com seu sangue. Mesmo que agora existissem novas maneiras de registrar o passado, a memória dos sacerdotes era a única coisa em que os habitantes de Akbar confiavam. Todo mundo pode escrever o que quer; mas ninguém consegue se lembrar de coisas que nunca existiram.

"E eu, que tenho para contar?", continuou a mulher, enchendo a taça que Elias havia esvaziado rapidamente. "Não tenho a força de Jezabel. Minha vida é como todas as outras: o casamento arranjado pelos pais quando ainda era criança; as tarefas domésticas quando me tornei adulta, o culto nos dias sagrados, o marido sempre ocupado com outras coisas. Enquanto era vivo, jamais conversamos sobre alguma coisa importante. Ele vivia preocupado com seus negócios, eu cuidava da casa, e assim passamos os melhores anos de nossas vidas.

"Depois de sua morte, restaram-me apenas a miséria e a educação do meu filho. Quando ele crescer, irá cruzar os mares, e eu já não serei importante para ninguém. Não tenho ódio ou ressentimento, apenas consciência de minha inutilidade."

Elias encheu mais um copo. Seu coração começava a dar sinais de alarme; estava gostando de ficar junto daquela mulher.

"Os sacerdotes não vão querer guardar uma história como esta", continuou ela. "Desde a infância não acontece nada em minha vida de que eu possa me orgulhar ou me arrepender. Ninguém gastará seu tempo procurando registrar uma existência tão comum."

Elias bebeu mais um pouco. Ela reparou que alguma coisa que dissera não lhe havia agradado, e resolveu mudar de assunto.

"Você subiu o Monte Cinco?", perguntou.

Ele concordou com a cabeça.

Gostaria de lhe perguntar o que vira lá no alto, e como conseguira escapar do fogo dos céus. Mas ele parecia não estar à vontade.

"É um profeta. Lê o meu coração", pensou.

Desde que o israelita entrara em sua vida, tudo havia mudado. Até mesmo a pobreza era mais fácil de aguentar — porque aquele estrangeiro despertara algo que ela nunca havia conhecido: o amor. Quando seu filho caíra doente, lutara contra toda a vizinhança para que ele continuasse em sua casa.

Sabia que, para ele, o Senhor era mais importante do que tudo que acontecia debaixo dos céus. Tinha consciência de que era um sonho impossível, pois o homem à sua frente podia ir embora naquele instante, derramar o sangue de Jezabel e jamais voltar para contar o que havia acontecido.

Mesmo assim, continuaria a amá-lo, porque — pela primeira vez em sua vida — tinha consciência do que era a liberdade. Podia amá-lo — mesmo que ele jamais soubesse; não precisava de sua permissão para sentir sua falta, pensar nele o dia inteiro, esperá-lo para jantar e preocupar-se com o que as pessoas podiam estar tramando contra um estrangeiro.

Isto era a liberdade: sentir o que seu coração desejava, independentemente da opinião dos outros. Já lutara com os amigos e vizinhos a respeito da presença do estranho em sua casa; não precisava lutar contra si mesma.

Elias bebeu um pouco de vinho, pediu desculpas e foi para o seu quarto. Ela saiu, alegrou-se com o filho que brincava diante de casa, e resolveu dar um breve passeio.

Estava feliz.

Ficou durante muito tempo olhando a parede de seu quarto. Finalmente, decidiu invocar seu anjo.

"Minha alma corre perigo", disse.

O anjo ficou em silêncio. Elias teve dúvidas em continuar a conversa, mas agora já era tarde: não podia invocá-lo sem motivo.

"Quando estou diante dessa mulher, não me sinto bem."

"Ao contrário", respondeu o anjo. "E isto te incomoda. Mas lembra-te: ninguém pode desejar o amor de Deus se antes não conheceu o amor humano."

Seu anjo não tinha as dúvidas que lhe atormentavam a alma. Sim, ele conhecia o amor; vira o rei de Israel abandonar o Senhor porque Jezabel, uma princesa de Tiro, conquistara o seu coração. A tradição contava que o rei Salomão perdera seu trono por causa de uma mulher estrangeira. O rei Davi enviara um de seus melhores amigos para a morte porque se apaixonara pela esposa dele. Por causa de Dalila, Sansão fora preso, e teve seus olhos vazados pelos filisteus.

Como não conhecia o amor? A história estava cheia de exemplos trágicos. E mesmo que não conhecesse as Escrituras Sagradas, tinha o exemplo de seus amigos — e dos amigos de seus amigos — perdidos em longas noites de espera e sofrimento. Se tivesse uma mulher em Israel, dificilmente ele teria deixado sua cidade quando o Senhor ordenou, e agora estaria morto.

No dia seguinte, Elias tornou a encontrar-se com o comandante. Soube que mais algumas tendas haviam sido montadas.

"Qual a proporção atual de guerreiros?", perguntou.

"Não dou informações a um inimigo de Jezabel."

"Sou conselheiro do governador", respondeu Elias. "Ele me nomeou seu assistente ontem à tarde, você já foi comunicado, e me deve uma resposta."

O comandante teve vontade de acabar com a vida do estrangeiro.

"Os assírios têm dois soldados para cada um dos nossos", terminou respondendo.

Elias sabia que o inimigo precisava de uma força muito superior.

"Estamos nos aproximando do momento ideal de iniciar as negociações de paz", disse. "Eles entenderão que estamos sendo generosos, e conseguiremos melhores condições. Qualquer general sabe que para conquistar uma cidade são precisos cinco invasores para cada defensor."

"Eles chegarão a esse número se não atacarmos agora."

"Mesmo com toda a linha de suprimentos, não terão água suficiente para abastecer tantos homens. E o momento de enviar nossos embaixadores terá chegado."

"Que momento é este?"

"Vamos deixar que o número de guerreiros assírios aumente mais um pouco. Quando a situação ficar insuportável, eles serão forçados a atacar, mas — na proporção de três ou quatro para um dos nossos — sabem que terminarão derrotados. É quando os nossos emissários vão oferecer a paz, a livre passagem e a venda de água. Esta é a ideia do governador."

O comandante não disse nada, e deixou que o estrangeiro partisse. Mesmo com Elias morto — o governador podia insistir naquela ideia. Jurou a si mesmo que, se a situação chegasse a esse ponto, ele mataria o governador; depois cometeria suicídio, porque não queria ver a fúria dos deuses.

Entretanto, de maneira nenhuma iria permitir que seu povo fosse traído pelo dinheiro.

"Leva-me de volta à terra de Israel, Senhor", clamava Elias todas as tardes, caminhando pelo vale. "Não deixes que meu coração fique preso em Akbar."

Seguindo um costume dos profetas que conhecera ainda criança, começou a ferir-se com um chicote sempre que pensava na viúva. Suas costas ficaram em carne viva, e durante dois dias delirou de febre. Quando acordou, a primeira coisa que viu foi a face da mulher; ela cuidava de seus ferimentos, colocando unguento e azeite de oliva. Como estava muito fraco para descer até a sala, ela subia ao quarto com alimentos.

Assim que ficou bom, tornou a caminhar pelo vale.

"Leva-me de volta à terra de Israel, Senhor", dizia. "Meu coração já está preso em Akbar, mas meu corpo ainda pode seguir viagem."

O anjo apareceu. Não era o anjo do Senhor, que vira no alto da montanha, mas aquele que o guardava, e com cuja voz já estava acostumado.

"O Senhor escuta as preces daqueles que pedem para esquecer o ódio. Mas está surdo aos que querem fugir do amor."

Os três jantavam juntos todas as noites. Conforme o Senhor havia prometido, jamais faltara farinha na panela e azeite na vasilha.

Raramente conversavam durante as refeições. Certa noite, porém, o menino perguntou:

"O que é um profeta?"

"Alguém que continua escutando as mesmas vozes que ouvia quando criança. E ainda acredita nelas. Dessa maneira, pode saber o que os anjos pensam."

"Sim, eu sei do que está falando", disse o menino. "Tenho amigos que ninguém mais vê. Mamãe diz que não devo ficar conversando sozinho, pois um dia estarei nos navios de meu país — e ninguém me respeitará, se eu continuar assim."

"Todos os marinheiros, e comandantes, e auxiliares — todas as pessoas que pisaram a face da Terra já terão experimentado a mesma sensação. Se não o respeitarem, é porque se sentem inferiores: você foi capaz de manter seus ouvidos abertos para a palavra do Senhor. Eles os fecharam, e perderam o sentido da vida.

"Entretanto, se você não ficar surdo a essas vozes, vai perceber que elas amadurecem com você, e lhe dão os sinais de Deus. Saberá sempre qual é sua missão nesta vida, e será sempre digno dela."

"Conhecerei o futuro, como os adivinhos da Babilônia", disse o garoto.

"Os profetas não conhecem o futuro. Apenas transmitem as palavras que o Senhor lhes inspira no momento presente. Por isso estou aqui, sem saber quando voltarei para o meu país; Ele não me dirá antes que seja necessário."

Os olhos da mulher entristeceram-se. Sim, um dia ele iria partir.

Elias já não clamava ao Senhor. Decidira que, quando chegasse o momento de deixar Akbar, ele levaria a viúva e seu filho. Não comentaria nada até que chegasse a hora.

Podia ser que ela não desejasse ir embora. Podia ser que nem tivesse percebido o que sentia por ela — porque ele mesmo demorara a compreender. Se acontecesse dessa maneira, seria melhor — poderia dedicar-se inteiramente à expulsão de Jezabel e à reconstrução de Israel. Sua mente estaria ocupada demais para pensar em amor.

"O Senhor é meu pastor", disse, lembrando-se de uma velha oração feita pelo rei Davi. "Refrigera minha alma e leva-me para junto das águas repousantes."

"E não me deixará perder o sentido de minha vida", concluiu com suas próprias palavras.

Certa tarde, voltou para casa mais cedo do que de costume e encontrou a viúva sentada na soleira da porta.

"O que está fazendo?"

"Nada tenho que fazer", respondeu ela.

"Então aprenda logo. Neste momento, muitas pessoas já desistiram de viver. Não se aborrecem, não choram, apenas esperam o tempo passar. Não aceitaram os desafios da vida, e a vida já não as desafia mais. Você corre esse perigo; reaja, enfrente a vida, mas não desista."

"Minha vida voltou a ter um sentido", disse ela, olhando para baixo. "Desde que você chegou."

Elias resolveu interromper imediatamente a conversa, porque não sabia como continuá-la.

"Comece a fazer alguma coisa", disse, mudando de assunto. "Assim o tempo será um aliado, e não um inimigo."

"O que posso aprender?"

Elias pensou um pouco.

"A escrita de Biblos. Será útil, se tiver que viajar um dia." A mulher resolveu dedicar-se àquele estudo de corpo e alma. Jamais pensara em sair de Akbar, mas — pelo jeito como ele falava — talvez estivesse pensando em levá-la com ele.

De novo sentiu-se livre. De novo acordou de madrugada, e caminhou sorrindo pelas ruas da cidade.

"Elias continua vivo", disse o comandante para o sacerdote, dois meses depois. "Não conseguiste assassiná-lo."

"Não há, em toda Akbar, um só homem que queira cumprir essa missão. O israelita tem consolado os doentes, visitado os presos, alimentado os famintos. Quando alguém tem uma disputa a resolver com o vizinho, recorre a ele, e todos aceitam seus julgamentos — porque são justos. O governador o usa para aumentar sua própria popularidade, mas ninguém percebe isso."

"Os mercadores não desejam a guerra. Se o governador ficar tão popular — a ponto de conseguir convencer a população de que a paz é melhor —, nunca conseguiremos expulsar os assírios daqui. É preciso que Elias seja logo morto."

O sacerdote apontou o Monte Cinco, sempre com seu topo coberto de nuvens.

"Os deuses não permitirão que seu país seja humilhado por uma força estrangeira. Eles vão dar um jeito: qualquer coisa acontecerá, e saberemos aproveitar a oportunidade."

"O quê?"

"Não sei. Mas ficarei atento aos sinais. Não forneça mais os dados corretos das forças assírias. Sempre que perguntarem algo, diga que a proporção dos guerreiros invasores ainda é de quatro para um. E continue treinando suas tropas."

"Por que devo fazer isso? Se atingirem a proporção de cinco para um, estamos perdidos."

"Não: estaremos em condições de igualdade. Quando o combate acontecer, você não estará lutando com um inimigo inferior, e não poderá ser considerado um covarde que abusa dos fracos. O exército de Akbar enfrentará um adversário tão poderoso como ele, e vencerá a batalha — porque seu comandante desenvolveu a melhor estratégia."

Mordido pela vaidade, o comandante aceitou a proposta. E a partir daquele momento começou a esconder informações do governador e de Elias.

Mais dois meses se passaram, e — naquela manhã — o exército assírio atingira a proporção de cinco soldados para cada defensor de Akbar. A qualquer momento podiam atacar.

Já havia algum tempo Elias desconfiava que o comandante mentia a respeito das forças inimigas, mas isto terminaria funcionando a seu favor: quando a proporção atingisse seu ponto crítico, seria fácil convencer a população de que a paz era a única saída.

Pensava nisso enquanto se dirigia ao lugar da praça onde — uma vez a cada sete dias — costumava ajudar os habitantes a resolverem suas disputas. Geralmente eram coisas sem importância: brigas de vizinhos, velhos que não queriam mais pagar impostos, comerciantes que se julgavam prejudicados em seus negócios.

O governador estava lá; costumava aparecer de vez em quando, para vê-lo em ação. A antipatia que sentia por ele havia desaparecido por completo; descobriu que era um homem sábio, preocupado em resolver os problemas antes que eles acontecessem — embora não acreditasse no mundo espiritual, e tivesse muito medo de morrer. Em várias ocasiões ele usara sua autoridade para dar à decisão de Elias um valor de lei. Outras vezes, discordara de uma sentença, e — no decorrer do tempo — percebera que o governador tinha razão.

Akbar estava se tornando um modelo de cidade fenícia. O governador criara um sistema de impostos mais justo, melhorara as ruas da cidade, e sabia administrar com inteligência os lucros recebidos com as taxas sobre as mercadorias. Houve uma época em que Elias pedira que acabasse com o consumo de vinho e cerveja, porque a maioria dos casos que era obrigado a resolver dizia respeito a agressões de pessoas embriagadas. O governador dissera que uma cidade só era considerada grande quando esse tipo de coisa acontecia. Para a tradição, os deuses ficavam contentes quando os homens se divertiam no final de uma jornada de trabalho, e protegiam os bêbados.

Além do mais, sua região tinha fama de produzir um dos melhores vinhos do mundo, e os estrangeiros ficariam desconfiados se seus próprios habitantes não consumissem a bebida. Elias respeitou a decisão do governador, e terminou concordando que pessoas alegres produzem melhor.

"Você não precisa esforçar-se tanto", disse o governador, antes que Elias desse início ao trabalho daquele dia. "Um auxiliar apenas ajuda o governo com suas opiniões."

"Tenho saudades da minha terra, e quero voltar para lá. Enquanto estou envolvido nessas atividades, consigo sentir-me útil, e esqueço que sou um estrangeiro", respondeu.

"E consigo controlar melhor meu amor por ela", pensou consigo mesmo.

O tribunal popular passara a contar com uma plateia sempre atenta ao que acontecia. As pessoas começaram a chegar: alguns eram idosos, que não tinham mais capacidade de trabalhar nos campos, e vinham para aplaudir ou vaiar as decisões de Elias, outros estavam diretamente interessados nos assuntos a serem tratados — seja porque tinham sido vítimas, seja porque poderiam lucrar com o resultado. Havia também mulheres e crianças, que — por falta de trabalho — precisavam ocupar o tempo livre.

Deu início aos assuntos daquela manhã: o primeiro caso era de um pastor que sonhara com um tesouro escondido perto das pirâmides no Egito, e precisava de dinheiro para ir até lá. Elias nunca estivera no Egito, mas sabia que era longe, e disse que dificilmente ele conseguiria meios necessários junto com os outros; mas se decidisse vender suas ovelhas e pagar o preço do seu sonho, seguramente encontraria o que buscava.

A seguir veio uma mulher que desejava aprender as artes mágicas de Israel. Elias disse que não era um mestre, apenas um profeta.

Quando se preparava para encontrar uma solução amigável num caso em que um agricultor praguejara contra a mulher de outro, um soldado afastou a multidão à sua frente, e dirigiu-se ao governador.

"Uma patrulha conseguiu capturar um espião", disse o recém-chegado, suando em bicas. "Ele está sendo conduzido para cá!"

Um tremor correu pela audiência; era a primeira vez que iriam assistir a um julgamento desse tipo.

"Morte!", gritou alguém. "Morte aos inimigos!"

Todos os presentes concordaram, aos berros. Num piscar de olhos a notícia correu pela cidade inteira, e a praça encheu-se. Os outros casos foram julgados com muito esforço; a cada instante alguém interrompia Elias, pedindo que o estrangeiro fosse apresentado logo.

"Não posso julgar este tipo de caso", dizia ele. "Isto cabe às autoridades de Akbar."

"O que os assírios vieram fazer aqui?", dizia um. "Não veem que estamos em paz há muitas gerações?"

"Por que desejam nossa água?", gritou outro. "Por que ameaçam a nossa cidade?"

Havia meses que ninguém ousava conversar em público sobre a presença do inimigo. Embora todos vissem um número cada vez maior de tendas surgindo no horizonte, embora os mercadores comentassem que era preciso iniciar logo as negociações de paz, o povo de Akbar recusava-se a acreditar que vivia sob a ameaça de uma invasão. Exceto pela incursão de alguma tribo insignificante — que era rapidamente dominada —, as guerras existiam apenas na memória dos sacerdotes. Eles falavam de uma nação chamada Egito, com cavalos e carros de guerra e deuses com formas de animais. Mas aquilo já havia acontecido muito tempo atrás, o Egito não era mais um país importante, e os guerreiros de pele escura e língua estranha já haviam retornado à sua terra. Agora os habitantes de Tiro e Sidon dominavam os mares, e espalhavam um novo império pelo mundo, e embora fossem guerreiros experientes, haviam descoberto uma nova maneira de lutar: o comércio.

"Por que estão nervosos?", perguntou o governador a Elias.

"Porque percebem que alguma coisa mudou. Tanto você como eu sabemos que — a partir de agora — os assírios podem atacar a qualquer momento. Tanto você como eu sabemos que o comandante anda mentindo sobre o número de tropas inimigas."

"Mas ele não seria louco de contar isto para alguém. Ele estaria semeando o pânico."

"Todo homem percebe quando está em perigo; começa a reagir de maneira estranha, a ter pressentimentos, a sentir alguma coisa no ar. E tenta se enganar, porque pensa que não vai conseguir enfrentar a situação. Eles tentaram se enganar até agora; mas chega um momento em que é preciso enfrentar a verdade."

O sacerdote chegou.

"Vamos até o palácio, reunir o Conselho de Akbar. O comandante está a caminho."

"Não faça isto", disse Elias, em voz baixa, para o governador. "Eles o forçarão a fazer o que não deseja."

"Vamos", insistiu o sacerdote. "Um espião foi preso, e providências urgentes precisam ser tomadas."

"Faça o julgamento no meio do povo", sussurrou Elias. "Eles o ajudarão, porque desejam a paz — embora estejam pedindo a guerra."

"Tragam esse homem aqui", pediu o governador. A multidão deu gritos de alegria; pela primeira vez iria assistir a um Conselho.

"Não podemos fazer isto!", disse o sacerdote. "É um assunto delicado que precisa de tranquilidade para ser resolvido!"

Algumas vaias. Muitos protestos.

"Tragam-no aqui", repetiu o governador. "E seu julgamento será nesta praça, no meio do povo. Trabalhamos juntos para transformar Akbar numa cidade próspera — e juntos julgaremos tudo aquilo que nos ameaça."

A decisão foi comemorada com uma salva de palmas. Um grupo de soldados de Akbar apareceu, arrastando um homem seminu, coberto de sangue. Devia ter apanhado muito, antes de chegar até ali.

Os ruídos cessaram. Um silêncio pesado desceu sobre a plateia, e podia-se ouvir o barulho dos porcos e das crianças que brincavam num outro canto da praça.

"Por que fizeram isto com o prisioneiro?", gritou o governador.

"Ele reagiu", respondeu um dos guardas. "Disse que não é espião. Que tinha vindo até aqui para falar com o senhor."

O governador mandou vir três cadeiras do palácio onde habitava. Seus empregados trouxeram o manto da Justiça, que costumava usar sempre que era necessária uma reunião do Conselho de Akbar.

Ele e o sacerdote sentaram-se. A terceira cadeira estava reservada ao comandante, que ainda não havia chegado.

"Declaro solenemente aberto o tribunal da Cidade de Akbar. Que os anciãos se aproximem."

Um grupo de velhos acercou-se dos dois, colocando-se em semicírculo atrás das cadeiras. Aquele era o conselho de anciãos; nos tempos antigos, sua opinião era respeitada e cumprida. Hoje em dia, porém, o papel do grupo era apenas decorativo — estavam ali para aceitar tudo que o governante decidisse.

Cumpridas algumas formalidades — como uma prece aos deuses do Monte Cinco e a declamação do nome de alguns heróis antigos —, o governador dirigiu-se ao prisioneiro:

"O que você quer?"

O homem não respondeu. Encarava-o de maneira estranha, como se fosse um igual.

"O que você quer?", insistiu o governador.

O sacerdote tocou o seu braço.

"Precisamos de um intérprete. Ele não fala nossa língua."

Foi dada a ordem, e um dos guardas saiu em busca de um comerciante que pudesse servir de intérprete. Os mercadores nunca iam assistir às sessões que Elias realizava; estavam sempre ocupados fazendo os seus negócios, contando seus lucros.

Enquanto esperavam, o sacerdote sussurrou:

"Bateram no prisioneiro porque estão com medo. Permita que eu conduza este julgamento, e não diga nada: o pânico deixa todos agressivos e — se não tivermos autoridade — podemos perder o controle da situação."

O governador não respondeu. Também estava com medo. Procurou Elias com os olhos, mas — do lugar onde estava sentado — não podia vê-lo.

Um comerciante chegou, trazido à força pelo guarda. Reclamou com o tribunal porque estava perdendo o seu tempo, e tinha muitos assuntos para resolver. Mas o sacerdote, olhando-o com severidade, pediu que ficasse quieto e traduzisse a conversa.

"O que você quer aqui?", perguntou o governador.

"Não sou espião", respondeu o homem. "Sou um dos generais do exército. Vim para conversar com você."

A audiência, que estava em silêncio completo, começou a gritar assim que a frase foi traduzida. Diziam que era mentira, e exigiam pena de morte imediata.

O sacerdote pediu silêncio, e virou-se para o prisioneiro:

"O que deseja conversar?"

"Corre a fama de que o governador é um homem sábio", disse o assírio. "Não queremos destruir esta cidade: o que nos interessa é Tiro e Sidon. Mas Akbar está no meio do caminho, e controla este vale; se formos obrigados a lutar, perderemos tempo e homens. Eu venho propor um trato."

"O homem está falando a verdade", pensou Elias. Notara que estava cercado por um grupo de soldados, que tapavam a visão do local onde o governador estava sentado. "Ele pensa da mesma maneira que nós. O Senhor realizou um milagre, e vai colocar um ponto-final nesta situação perigosa."

O sacerdote levantou-se e gritou para o povo:

"Vocês estão vendo? Eles querem nos destruir sem combate!"

"Continue", disse o governador.

O sacerdote, porém, interferiu mais uma vez:

"Nosso governador é um homem bom, que não deseja derramar o sangue de um homem. Mas estamos numa situação de guerra, e o condenado que está diante de vocês é um inimigo!"

"Tem razão!", gritou alguém da audiência.

Elias deu-se conta de seu erro. O sacerdote estava jogando com a audiência, enquanto o governador procurava apenas fazer justiça. Tentou aproximar-se — mas levou um empurrão. Um dos soldados segurou-o pelo braço.

"Você espera aqui. Afinal, a ideia foi sua."

Olhou para trás: era o comandante, e ele estava sorrindo.

"Não podemos escutar nenhuma proposta", continuou o sacerdote, deixando a emoção fluir por seus gestos e palavras. "Se mostrarmos que estamos querendo negociar, estaremos demonstrando também que estamos com medo. E o povo de Akbar é corajoso; tem condições de resistir a qualquer invasão."

"Ele é um homem que busca a paz", disse o governador, dirigindo-se à multidão.

Alguém disse:

"Os mercadores buscam a paz. Os sacerdotes desejam a paz. Os governadores administram a paz. Mas um exército só quer uma coisa: guerra!"

"Não vê que conseguimos enfrentar a ameaça religiosa de Israel sem qualquer guerra?", bradou o governador. "Não enviamos exércitos, nem navios, mas Jezabel. Agora eles adoram Baal, sem que precisássemos sacrificar um só homem na frente de batalha."

"Eles não mandaram uma bela mulher, mas seus guerreiros!", gritou mais alto o sacerdote.

O povo exigia a morte do assírio. O governador segurou o sacerdote pelo braço.

"Sente-se", disse. "Você está indo muito longe."

"A ideia do julgamento público foi sua. Ou melhor: foi o traidor israelita, que parece comandar os atos do governante de Akbar."

"Depois eu me entendo com ele. Agora precisamos saber o que o assírio quer. Durante muitas gerações os homens procuraram impor sua vontade através da força; falavam o que queriam, mas não se importavam em saber o que o povo pensava, e todos esses impérios terminaram destruídos. O nosso povo cresceu porque aprendeu a escutar; assim desenvolvemos o comércio — ouvindo o que o outro deseja, e fazendo o possível para consegui-lo. O resultado é o lucro."

O sacerdote balançou a cabeça.

"Suas palavras parecem sábias, e este é o pior de todos os perigos. Se você estivesse dizendo bobagens, seria fácil provar que estava errado. Mas as coisas que acaba de falar nos conduzem a uma armadilha."

As pessoas que estavam na primeira fila presenciavam a discussão. Até aquele momento, o governador sempre procurara escutar a opinião do Conselho, e Akbar tinha uma reputação excelente; Tiro e Sidon tinham enviado emissários para ver como era administrada; seu nome já chegara até os ouvidos do imperador e, com um pouco de sorte, era possível acabar seus dias como ministro da corte.

Hoje, sua autoridade fora desafiada em público. Se não tomasse uma decisão, perderia o respeito do povo — e já não seria capaz de tomar decisões importantes, porque ninguém lhe obedeceria.

"Continue", disse para o prisioneiro, ignorando o olhar furioso do sacerdote e exigindo que o intérprete traduzisse sua pergunta.

"Vim propor um negócio", disse o assírio. "Vocês nos deixam passar, e marcharemos contra Tiro e Sidon. Quando essas cidades forem derrotadas — elas certamente serão, porque grande parte de seus guerreiros está nos navios, cuidando do comércio — nós seremos generosos com Akbar. E o manteremos como governador."

"Veem?", disse o sacerdote, tornando a levantar-se. "Eles acham que nosso governador é capaz de trocar a honra de Akbar por um cargo!"

A multidão começou a urrar de raiva. Aquele prisioneiro seminu e ferido queria impor suas regras! Um homem derrotado que propunha a rendição da cidade! Algumas pessoas levantaram-se para agredi-lo; com muito custo os guardas conseguiram dominar a situação.

"Esperem!", disse o governador, procurando falar mais alto que todos. "Temos diante de nós um homem indefeso, que não nos pode causar medo. Sabemos que nosso exército é mais preparado, e que nossos guerreiros são mais valentes. Não precisamos provar nada a ninguém. Se resolvermos lutar, venceremos o combate, mas as perdas serão enormes."

Elias fechou os olhos, e rezou para que o governador conseguisse convencer o povo.

"Nossos ancestrais nos falavam do império egípcio, mas esse tempo já terminou", continuou. "Agora estamos voltando à Idade do Ouro, nossos pais e nossos avós puderam experimentar a paz. Por que seremos nós a romper essa tradição? As guerras modernas são travadas no comércio, e não nos campos de batalha."

Pouco a pouco a multidão ficava silenciosa. O governador estava conseguindo!

Quando o ruído cessou, ele dirigiu-se ao assírio.

"Não basta o que você está propondo. Vocês terão que pagar as taxas que os mercadores pagam para atravessar nossas terras."

"Acredite, governador: vocês não têm escolha", respondeu o prisioneiro. "Temos homens suficientes para arrasar esta cidade e matar todos os seus habitantes. Vocês estão em paz há muito tempo, e já não sabem mais como lutar, enquanto nós estamos conquistando o mundo."

Os murmúrios recomeçaram na audiência. Elias pensava: "Ele não pode demonstrar insegurança agora". Mas estava sendo difícil lidar com o prisioneiro assírio, que — mesmo subjugado — impunha suas condições. A cada momento chegavam mais pessoas — Elias notou que os comerciantes haviam abandonado seus trabalhos, e agora faziam parte da plateia, preocupados com o desenrolar dos acontecimentos. O julgamento ganhara uma importância perigosa; não havia mais como recuar de uma decisão, fosse ela a negociação ou a morte.

Os espectadores começaram a se dividir; uns defendiam a paz, outros exigiam que Akbar resistisse. O governador sussurrou ao sacerdote:

"Este homem me desafiou em público. Mas você também."

O sacerdote virou-se para ele. E falando de maneira que ninguém pudesse escutar, disse que condenasse imediatamente o assírio à morte.

"Não estou pedindo, estou exigindo. Sou eu quem o mantém no poder, e posso acabar com isto na hora que quiser, entende? Conheço sacrifícios capazes de aplacar a ira dos deuses, quando somos forçados a substituir a família governante. Não será a primeira vez: até mesmo no Egito, um império que durou milhares de anos, houve muitos casos de dinastias que foram substituídas. Mesmo assim, o Universo continuou em ordem, e o céu não desabou sobre nossas cabeças."

O governador ficou pálido.

"O comandante está no meio da audiência, com alguns dos seus soldados. Se você insistir em negociar com esse homem, eu direi a todos que os deuses o abandonaram. E será deposto. Vamos continuar o julgamento. E você vai fazer exatamente aquilo que eu mandar."

Se Elias estivesse à vista, o governador ainda teria uma saída: pediria ao profeta israelita para dizer que viu um anjo no alto do Monte Cinco — conforme lhe contara. Recordaria a história da ressurreição do filho da viúva. E seria a palavra de Elias — que já se mostrara capaz de fazer milagres — contra a palavra de um homem que jamais demonstrara qualquer tipo de poder sobrenatural.

Mas Elias o havia abandonado, e ele não tinha mais escolha. Além do mais, era apenas um prisioneiro — e nenhum exército do mundo começa uma guerra porque perdeu um soldado.

"Você ganha esta", disse para o sacerdote. Um dia, iria negociar algo em troca.

O sacerdote concordou com a cabeça. O veredicto foi dado logo em seguida.

"Ninguém desafia Akbar", disse o governador. "E ninguém entra em nossa cidade sem a permissão de seu povo. Você tentou fazer isto, e está condenado à morte."

No lugar onde estava, Elias abaixou os olhos. O comandante sorria.

O prisioneiro — acompanhado de uma multidão cada vez maior — foi conduzido até um terreno ao lado das muralhas. Ali arrancaram o que sobrava de suas roupas, e o deixaram nu. Um dos soldados empurrou-o para o fundo de uma depressão existente no local. O povo aglomerou-se em torno do buraco. Empurravam-se uns aos outros, para terem uma visão melhor.

"Um soldado usa com orgulho sua roupa de guerra, e se faz visível ao inimigo — porque tem coragem. Um espião veste-se de mulher, porque é covarde", gritou o governador, para que todos escutassem. "Por isso eu o condeno a deixar esta vida sem a dignidade dos bravos."

O povo vaiou o prisioneiro e aplaudiu o governador.

O prisioneiro dizia alguma coisa, mas o intérprete não estava mais por perto, e ninguém conseguia entendê-lo. Elias conseguiu abrir caminho e chegar perto do governador — mas agora era tarde. Quando tocou em seu manto, foi repelido com violência.

"A culpa é sua. Você quis um julgamento público."

"A culpa é sua", respondeu Elias. "Mesmo que o Conselho de Akbar houvesse se reunido secretamente, o comandante e o sacerdote fariam o que desejavam. Eu estava cercado por guardas durante todo o processo. Já tinham tudo planejado."

O costume dizia que cabia ao sacerdote escolher a duração do suplício. Ele abaixou-se, pegou uma pedra e estendeu-a ao governador: não era tão grande que permitisse uma morte rápida, nem tão pequena que prolongasse o sofrimento por muito tempo.

"Você primeiro."

"Estou sendo obrigado a isto", disse o governador em voz baixa, de modo que só o sacerdote escutasse. "Mas sei que é o caminho errado."

"Durante todos estes anos você me forçou a tomar as atitudes mais duras, enquanto desfrutava o resultado das decisões que agradavam o povo", respondeu o sacerdote, também em voz baixa. "Eu tive de enfrentar a dúvida e a culpa, e passei noites insones — perseguido pelos fantasmas de erros que posso ter cometido. Mas porque não me acovardei, Akbar é hoje uma cidade invejada pelo mundo inteiro."

As pessoas procuraram pedras do tamanho escolhido. Por algum tempo, tudo que se ouvia era o barulho de seixos e rochas chocando-se uns contra os outros.

O sacerdote continuou:

"Posso estar errado em condenar este homem à morte. Mas estou certo quanto à honra de nossa cidade; não somos traidores."

O governador levantou a mão e atirou a primeira pedra; o prisioneiro esquivou-se. Logo em seguida, porém, a multidão — entre gritos e vaias — começou a apedrejá-lo.

O homem tentava defender seu rosto com os braços, e as pedras atingiam seu peito, suas costas, seu estômago.

O governador queria sair dali; já tinha visto aquilo muitas vezes, sabia que a morte era lenta e dolorosa, que o rosto viraria uma pasta de ossos, cabelos e sangue, que as pessoas continuariam jogando pedras mesmo depois de a vida ter abandonado aquele corpo.

Dali a alguns minutos o prisioneiro iria abandonar sua defesa, e abaixar os braços; se tivesse sido um homem bom durante esta vida, os deuses guiariam uma das pedras, que atingiria a parte da frente do crânio, provocando o desmaio. Caso contrário — se tivesse cometido crueldades —, ele ficaria consciente até o minuto final.

A multidão gritava, jogava pedras com ferocidade crescente, e o condenado procurava defender-se da melhor maneira possível. De repente, porém, ele abriu os braços, e falou numa língua que todos podiam entender. Surpresa, a multidão interrompeu o apedrejamento.

"Viva a Assíria!", gritou. "Neste momento eu contemplo a imagem do meu povo, e morro feliz, porque morro como um general que tentou salvar a vida dos seus guerreiros. Vou para a companhia dos deuses, e estou contente porque sei que conquistaremos esta terra!"

"Viu?", disse o sacerdote. "Escutou e entendeu toda a nossa conversa, durante o julgamento!"

O governador concordou. O homem falava a língua deles, e agora sabia que havia divisões no Conselho de Akbar.

"Eu não estou no inferno, porque a visão do meu país me dá dignidade e força. A visão de meu país me dá alegria! Viva a Assíria!", gritou de novo.

Recobrada do susto, a multidão tornou a atirar as pedras. O homem manteve os braços abertos, sem tentar nenhuma defesa — era um guerreiro valente. Segundos depois a misericórdia dos deuses se fez notar: uma pedra bateu em sua testa, e ele desmaiou.

"Podemos sair agora", disse o sacerdote. "O povo de Akbar se encarregará de terminar a tarefa."

Elias não voltou à casa da viúva. Começou a passear pelo deserto, sem saber exatamente aonde queria ir.

"O Senhor não fez nada", dizia para as plantas e rochas. "E podia ter feito."

Arrependia-se de sua decisão, e julgava-se culpado pela morte de mais um homem. Se tivesse aceitado a ideia de o Conselho de Akbar reunir-se secretamente, o governador poderia tê-lo levado consigo; então seriam eles dois, contra o sacerdote e o comandante. As chances continuariam pequenas, mas seriam maiores do que o julgamento público.

Pior ainda: ficara impressionado com a maneira de o sacerdote dirigir-se à multidão; mesmo discordando de tudo que ele dizia, era forçado a reconhecer que ali estava alguém com profundo conhecimento de liderança. Procuraria lembrar-se de cada detalhe do que havia visto, já que — algum dia, em Israel — teria que enfrentar o rei e a princesa de Tiro.

Andou sem rumo, olhando as montanhas, a cidade e o acampamento assírio à distância. Ele era apenas um ponto naquele vale, e havia um mundo imenso à sua volta — um mundo tão grande que, mesmo que viajasse sua vida inteira, não conseguiria chegar até o lugar onde ele acabava. Seus amigos, e seus inimigos, talvez compreendessem melhor a Terra onde viviam; podiam viajar até países distantes, navegar os mares desconhecidos, amar sem culpa uma mulher. Nenhum deles escutava mais os anjos da infância, nem se propunha a lutar em nome do Senhor. Viviam suas existências de acordo com o momento presente, e eram felizes.

Ele também era uma pessoa como todas as outras — e, nesse momento em que passeava pelo vale, desejava mais do que nunca jamais ter escutado a voz do Senhor e dos seus anjos.

Mas a vida não é feita de desejos, e sim dos atos de cada um. Lembrou-se de que já tentara desistir de sua missão várias vezes, e entretanto estava ali, no meio daquele vale, porque o Senhor assim o exigira.

"Podia ter sido apenas um carpinteiro, meu Deus, e continuaria útil ao Teu trabalho." Seus pais, impressionados com a influência política dos profetas em Israel, o haviam encorajado a desenvolver seus dons; mas — a determinada altura de sua vida — as dúvidas o fizeram largar tudo, para montar uma pequena marcenaria. Não era digno do chamado do Senhor, preferia passar o resto de sua existência vivendo do seu salário de carpinteiro.

Sem querer, começou a descobrir a presença de Deus em tudo que fazia. Cada mesa que montava, cada cadeira que entalhava, permitia-lhe entender como a vida é sagrada, e como as pequenas coisas são importantes na transformação do Universo. Seu ofício tornou-se o principal aprendizado; nada era inútil e cada momento trazia em si a eternidade e a Criação.

Deixara que esse sentimento sagrado, presente no trabalho feito com amor, se transformasse em algo cada vez mais forte e profundo. Os anjos começaram a conversar com ele, sempre que se concentrava no que estava fazendo. Vinham dizer que a grandeza de Deus se manifesta em qualquer tipo de tarefa — mas principalmente naquelas que são feitas com amor.

"Meu ofício é ser carpinteiro", ele respondia.

"É uma etapa de seu ofício", argumentavam os anjos. "Todos os homens passam por etapas, que precisam cumprir até o final. Mas não podem confundir essa etapa com a razão de sua existência."

Certa vez, conversando com uma mulher cujo ofício era fazer pão, percebera que também ela entendia que o trabalho manifestava a presença de Deus. E, pouco a pouco, foi se dando conta de que muitas pessoas — capazes de sorrir enquanto faziam suas tarefas diárias — tinham essa mesma sensação.

A partir desse momento, separou os humanos em dois grupos. Os que se alegravam e os que reclamavam do que faziam. Esses últimos afirmavam que a maldição lançada por Deus a Adão era a única verdade: "*Maldita é a terra por tua causa. Em fadiga obterás o sustento durante todos os dias de tua vida*". Não tinham prazer no trabalho, e ficavam aborrecidos nos dias santos, quando eram obrigados a descansar. Usavam as palavras do Senhor como uma desculpa para suas vidas inúteis, e se esqueciam de que Ele também dissera a Moisés: "*O Senhor teu Deus te abençoará abundantemente na terra que te dá por herança, para possuí-la*".

Depois de alguns anos trabalhando na oficina — e aceitando toda a iluminação espiritual que um ofício comum é capaz de permitir —, Elias começara a ter pressentimentos. Uma força maior o obrigava a alertar seus vizinhos contra possíveis perigos, ou a ajudá-los em decisões arriscadas. Percebeu que era chegado o momento da mudança, mesmo que nenhum anjo tenha se aproximado para lembrá-lo disso. Largou a oficina e saiu pelas cidades de Israel, usando seu dom para ajudar os outros. Conhecera os profetas que também caminhavam de cidade em cidade, pregando a palavra de Deus; e eles o ajudaram, e o instruíram nas tarefas sagradas. Aos poucos, os anjos foram se aproximando, e lhe faziam companhia.

A primeira vez que o Senhor lhe falara, porém, fora para ordenar que partisse de Israel. E ali estava Elias, cumprindo o que lhe fora exigido, carregando consigo o peso da guerra por vir, o massacre dos profetas por Jezabel, o apedrejamento do general assírio, o medo de seu amor por uma mulher de Akbar. O Senhor lhe dera um presente, e ele não sabia o que fazer com ele.

"Escuta-me, Senhor. Posso ser o homem errado, no lugar errado, e não sei como mudar isto."

No meio do vale surgiu a luz. Não era seu anjo da guarda — o qual sempre escutava, mas raramente via. Era um anjo do Senhor, que vinha consolá-lo.

"Nada mais posso fazer aqui", disse Elias. "Quando voltarei a Israel?"

"Quando aprenderes a reconstruir", respondeu o anjo. "Mas lembra-te do que Deus ensinou a Moisés antes de uma luta. Desfruta cada momento, para que depois não te arrependas, nem sintas que perdeste tua juventude. A cada idade de um homem o Senhor lhe dá suas próprias inquietações."

Disse o Senhor a Moisés:

"Não tenhais medo, não desfaleça vosso coração antes do combate, não vos aterrorizeis diante de vossos inimigos. O homem que plantou uma vinha e ainda não desfrutou dela, que o faça logo, para que não morra na luta e outro a desfrute. O homem que ama uma mulher e ainda não a recebeu, que vá e torne à sua casa, para que não morra na luta, e outro homem a receba."

——·✧·——

Elias ainda caminhou algum tempo, procurando entender o que havia escutado. Quando se preparava para voltar a Akbar, viu que a mulher que amava estava sentada numa pedra, diante do Monte Cinco — a alguns minutos de caminhada do lugar onde se encontrava.

"O que ela faz ali? Será que sabe do julgamento, da condenação à morte e dos riscos que passamos a correr?"

Tinha que avisá-la imediatamente. Resolveu aproximar-se.

Ela notou sua presença, e acenou. Elias parecia ter esquecido as palavras do anjo, porque a insegurança retornou de um golpe. Procurou fingir que estava ocupado com os problemas da cidade, para que ela não notasse o quanto seu coração e sua mente estavam confusos.

"O que faz aqui?", perguntou, assim que chegou perto.

"Vim procurar um pouco de inspiração. A escrita que estou aprendendo me fez pensar no desenho dos vales, dos montes, da cidade de Akbar. Alguns comerciantes me deram tintas de todas as cores, porque desejam que eu escreva para eles. Pensei em usá-las para descrever o mundo em que vivo, mas sei que é difícil: embora eu tenha as cores, só o Senhor consegue misturá-las com tanta harmonia."

Ela manteve o olhar fixo no Monte Cinco. Era uma pessoa completamente diferente daquela que ele encontrara alguns meses atrás, juntando lenha na porta da cidade. Sua presença solitária, no meio do deserto, inspirava-lhe confiança e respeito.

"Por que todas as outras montanhas têm nome, exceto o Monte Cinco — que é chamado por um número?", perguntou Elias.

"Para não criar uma briga entre os deuses", respondeu ela. "A tradição conta que, se o homem tivesse colocado naquela montanha o nome de um deus especial, os outros ficariam furiosos e destruiriam a Terra. Por isso, ele chama-se Monte Cinco; porque é o quinto monte que vemos além das muralhas. Desta maneira, não ofendemos ninguém — e o Universo continua em seu lugar."

Ficaram quietos por algum tempo. A mulher quebrou o silêncio:

"Além de refletir sobre as cores, penso também no perigo da escrita de Biblos. Ela pode ofender os deuses fenícios, e o Senhor nosso Deus."

"Só existe o Senhor", interrompeu Elias. "E todos os países civilizados têm sua escrita."

"Mas é diferente. Quando criança, costumava ir até a praça, para assistir ao trabalho que o pintor de palavras fazia para os mercadores. Seus desenhos — baseados na escrita egípcia — exigiam perícia e conhecimento. Agora, o antigo e poderoso Egito está em decadência, sem dinheiro para comprar nada, e ninguém utiliza mais sua linguagem; navegantes de Tiro e Sidon estão espalhando a escrita de Biblos pelo mundo inteiro. As palavras e as cerimônias sagradas podem ser colocadas em tabletes de barro, e transmitidas de um povo a outro. O que será do mundo se pessoas sem escrúpulos começarem a usar os rituais para interferir no Universo?"

Elias entendia o que a mulher estava dizendo. A escrita de Biblos era baseada em um sistema muito simples: bastava transformar os desenhos egípcios em sons e depois designar uma letra para cada som. Colocando estas letras em ordem, era possível criar todos os sons possíveis, e descrever tudo o que existia no Universo.

Alguns desses sons eram muito difíceis de pronunciar. A dificuldade fora resolvida pelos gregos, que incluíram mais cinco letras — chamadas de *vogais* — aos vinte e poucos caracteres de Biblos. Batizaram essa adaptação de *alfabeto*, nome que agora era utilizado para definir a nova forma de escrita.

Isso facilitara muito o contato comercial entre as diversas culturas. O sistema egípcio exigia muito espaço e habilidade para desenhar as ideias, e um profundo conhecimento para interpretá-las; havia sido imposto aos povos conquistados, mas não conseguira sobreviver à decadência do Império. O sistema de Biblos, entretanto, espalhava-se rapidamente pelo mundo, e já não dependia da força econômica da Fenícia para ser adotado.

O método de Biblos, com a adaptação grega, agradara aos mercadores de diversas nações; como acontecia desde os tempos antigos, eram eles que decidiam o que devia permanecer na História, e o que desapareceria com a morte de tal rei ou tal personagem. Tudo indicava que a invenção fenícia estava destinada a ser a linguagem comum dos negócios, sobrevivendo aos seus navegadores, seus reis, suas princesas sedutoras, seus produtores de vinho, seus mestres vidreiros.

"Deus desaparecerá das palavras?", perguntou a mulher.

"Continuará nelas", respondeu Elias. "Mas cada pessoa será responsável diante Dele por tudo que escrever."

Ela tirou da manga de sua roupa um tablete de barro, com alguma coisa escrita.

"O que significa?", perguntou Elias.

"É a palavra *amor*."

Elias manteve o tablete nas mãos, sem ter coragem de perguntar por que ela lhe entregara aquilo. Naquele pedaço de argila uns poucos rabiscos resumiam o motivo de as estrelas continuarem nos céus, e de os homens caminharem pela Terra.

Fez menção de devolvê-lo, mas ela recusou.

"Escrevi para você. Conheço a sua responsabilidade, sei que um dia precisará partir, e que se transformará em inimigo do meu país — pois deseja aniquilar Jezabel. Nesse dia, pode ser que eu esteja ao seu lado, dando-lhe suporte e apoio para que cumpra bem sua tarefa. Ou pode ser que eu lute contra você, porque o sangue de Jezabel é o sangue do meu país; esta palavra, que agora você tem em mãos, está repleta de mistérios. Ninguém pode saber o que ela desperta no coração de uma mulher — nem mesmo os profetas que conversam com Deus."

"Conheço a palavra que você escreveu", disse Elias, guardando o tablete numa borda de seu manto. "Tenho lutado dia e noite contra ela, porque — embora não saiba o que ela desperta no coração de uma mulher — sei o que é capaz de fazer com um homem. Tenho coragem suficiente para enfrentar o rei de Israel, a princesa de Tiro, o Conselho de Akbar, mas esta única palavra — *amor* — me causa um terror profundo. Antes de você desenhá-la no tablete, seus olhos já a haviam escrito em meu coração."

Os dois ficaram em silêncio. Havia a morte do assírio, o clima de tensão na cidade, o chamado do Senhor que podia ocorrer a qualquer momento; mas a palavra que ela havia escrito era mais poderosa que tudo isso.

Elias estendeu a mão, e ela segurou-a. Ficaram assim até que o sol se escondesse atrás do Monte Cinco.

"Obrigada", disse ela no caminho de volta. "Faz muito tempo que desejava passar um final de tarde com você."


Quando chegaram em casa, um emissário do governador o aguardava. Pedia que Elias fosse imediatamente ao seu encontro.

"Você pagou meu apoio com a sua covardia", disse o governador. "O que devo fazer com sua vida?"

"Não viverei um segundo a mais do que o Senhor deseja", respondeu Elias. "É Ele quem decide, não você."

O governador admirou-se com a coragem de Elias.

"Posso decapitá-lo agora. Ou posso arrastá-lo pelas ruas da cidade, dizendo que trouxe maldição ao nosso povo", disse. "E não terá sido uma decisão do seu Deus Único."

"O que estiver no meu destino, assim acontecerá. Mas quero que saiba que não fugi; os soldados do comandante me impediram de chegar perto. Ele deseja a guerra, e fará tudo para consegui-la."

O governador resolveu não perder mais tempo naquela discussão inútil. Precisava explicar seu plano ao profeta israelita.

"Não é o comandante quem deseja a guerra; como bom militar, tem consciência de que seu exército é menor, sem experiência, e será dizimado pelo inimigo. Como um homem de honra, sabe que arrisca ser motivo de vergonha para os seus descendentes. Mas o orgulho e a vaidade endureceram o seu coração.

"Ele pensa que o inimigo está com medo. Não sabe que os guerreiros assírios são bem treinados: assim que entram para o exército, plantam uma árvore, e todos os dias saltam por cima do lugar onde está a semente. A semente se transforma em broto, e eles saltam por cima. O broto se transforma em planta, e eles continuam saltando. Não se aborrecem, nem acham que é perda de tempo. Pouco a pouco, a árvore vai crescendo — e os guerreiros vão saltando mais alto. Eles se preparam com paciência e dedicação para os obstáculos.

"Estão acostumados a conhecer bem um desafio. Estão nos observando há meses."

Elias interrompeu o governador:

"A quem interessa a guerra?"

"Ao sacerdote. Percebi isso durante o julgamento do prisioneiro assírio."

"Por que razão?"

"Não sei. Mas foi hábil o suficiente para convencer o comandante e o povo. Agora, a cidade inteira está do seu lado, e eu só vejo uma saída para a difícil situação em que nos encontramos."

Fez uma longa pausa e fitou o israelita nos olhos: "Você."

O governador começou a andar de um lado para o outro, falando rapidamente, e demonstrando o seu nervosismo.

"Os comerciantes também desejam a paz, mas não podem fazer nada. Além disso, enriqueceram o suficiente para se instalar em outra cidade, ou esperar que os conquistadores comecem a comprar seus produtos. O resto da população perdeu a razão, e pede que ataquemos um inimigo infinitamente superior. A única coisa que pode convencê-los a mudar de ideia é um milagre."

Elias ficou tenso.

"Um milagre?"

"Você ressuscitou um menino que a morte já tinha levado. Tem ajudado o povo a encontrar seu caminho, e — embora seja estrangeiro — é amado por quase todo mundo."

"A situação era assim até esta manhã", disse Elias.

"Mas agora mudou: no ambiente que você acaba de me descrever, todo aquele que defende a paz será considerado um traidor."

"Não quero que defenda nada. Quero que faça um milagre tão grande como a ressurreição do menino. Então, dirá ao povo que a paz é a única saída, e ele o escutará. O sacerdote perderá por completo o poder que possui."

Houve um momento de silêncio. O governador continuou:

"Estou disposto a fazer um trato: se fizer o que estou pedindo, a religião do Deus Único será obrigatória em Akbar. Você agradará Àquele a quem serve, e eu conseguirei negociar as condições de paz."

Elias subiu até o andar superior da casa, onde ficava seu quarto. Tinha nas mãos, naquele momento, uma oportunidade que nenhum profeta tivera antes: converter uma cidade fenícia. Seria a maneira mais dolorosa de mostrar a Jezabel que havia um preço a pagar pelo que fizera em seu país.

Estava excitado com a proposta do governador. Chegou a pensar em despertar a mulher que dormia embaixo, mas mudou de ideia; ela devia estar sonhando com a bela tarde que haviam passado juntos.

Invocou o seu anjo. E este apareceu.

"Você ouviu a proposta do governador", disse Elias. "Esta é uma chance única."

"Nada é uma chance única", respondeu o anjo. "O Senhor dá aos homens muitas oportunidades durante a vida. Além do mais, recorda-te do que foi dito: nenhum outro milagre te será permitido até que retornes ao seio de tua pátria."

Elias abaixou a cabeça. Nesse momento, o anjo do Senhor surgiu e calou o seu anjo da guarda. E disse:

"Eis o teu próximo milagre:

"Irás reunir todo o povo diante da montanha. De um lado, mandarás que seja erguido um altar a Baal, e um novilho lhe será entregue. Do outro lado, erguerás um altar ao Senhor Teu Deus, e sobre ele também colocarás um novilho.

"E dirás aos adoradores de Baal: invocai o nome de vosso deus, que eu invocarei o nome do Senhor. Deixa que eles o façam primeiro; e que passem toda a manhã rezando e clamando, pedindo que Baal desça para receber o que lhe está sendo ofertado.

"Eles clamarão em voz alta, e se retalharão com seus punhais, e pedirão que o novilho seja recebido pelo deus, mas nada acontecerá.

"Quando se cansarem, encherás de água quatro vasilhas, e derramarás sobre o teu novilho. Farás isto uma segunda vez. E farás isto ainda uma terceira vez. Então clamarás ao Deus de Abraão, de Isaac e de Israel, pedindo para que mostre a todos o Seu poder.

"Nesse momento o Senhor enviará o fogo dos céus e consumirá teu sacrifício."

Elias ajoelhou-se, e deu graças.

"Entretanto", continuou o anjo, "este milagre só pode ser realizado uma vez em tua vida. Escolhe se desejas fazê-lo aqui, para evitar uma batalha — ou se queres realizá-lo em tua terra, para livrar os teus da ameaça de Jezabel."

E o anjo do Senhor foi embora.

A mulher acordou cedo, e viu Elias sentado na soleira da porta. Seus olhos estavam fundos, como quem não tivesse dormido.

Gostaria de perguntar o que tinha acontecido na noite anterior, mas temia sua resposta. Era possível que a noite sem sono tivesse sido provocada pela conversa com o governador, e pela ameaça de guerra; mas podia ter um outro motivo — o tablete de barro que lhe entregara. Então, se provocasse o assunto, arriscava-se a escutar que o amor de uma mulher não combinava com os desígnios de Deus.

"Venha comer algo", foi seu único comentário.

Seu filho também acordou. Os três sentaram-se à mesa, e comeram.

"Gostaria de ter ficado com você ontem", disse Elias. "Mas o governador precisava de mim."

"Não se preocupe com ele", disse ela, sentindo que seu coração começava a tranquilizar-se. "Sua família já governa Akbar há gerações, e saberá o que fazer diante da ameaça."

"Também conversei com um anjo. E ele me exigiu uma decisão muito difícil."

"Tampouco deve se inquietar por causa de anjos; talvez seja melhor acreditar que os deuses mudam com o tempo. Meus antepassados adoravam os deuses egípcios, que tinham forma de animais. Esses deuses partiram, e — até você chegar — fui educada para fazer sacrifícios a Asherat, El, Baal e todos os habitantes do Monte Cinco. Agora conheci o Senhor, mas pode ser que ele também nos deixe um dia, e os próximos deuses sejam menos exigentes."

O menino pediu um pouco de água. Não havia.

"Irei buscá-la", disse Elias.
"Quero ir com você", pediu o menino.

Os dois seguiram em direção ao poço. No caminho passaram pelo local onde o comandante treinava — desde cedo — os seus soldados.

"Vamos olhar um pouco", disse o garoto. "Eu serei soldado quando crescer."

Elias fez o que pedia.

"Qual de nós é o melhor no uso da espada?", perguntava um guerreiro.

"Vá até o local onde o espião foi apedrejado ontem", disse o comandante. "Pegue uma pedra bem grande e insulte-a."

"Por que devo fazer isso? A pedra não me responderá de volta."

"Então ataque-a com sua espada."

"Minha espada se quebrará", disse o soldado. "E não foi isto que perguntei; eu quero saber quem é o melhor no uso da espada."

"O melhor é aquele que se parece com uma pedra", respondeu o comandante. "Sem desembainhar a lâmina, consegue provar que ninguém poderá vencê-lo."

"O governador tem razão: o comandante é um sábio", pensou Elias. "Mas toda sabedoria é completamente ofuscada pelo brilho da vaidade."

Continuaram a caminhada. O menino perguntou por que os soldados treinavam tanto.

"Não são apenas os soldados, mas também sua mãe, e eu, e aqueles que seguem o seu coração. Tudo na vida exige treinamento."

"Mesmo para ser profeta?"

"Mesmo para entender os anjos. Queremos tanto falar com eles que não escutamos o que eles estão dizendo. Não é fácil escutar: em nossas preces, sempre procuramos dizer onde erramos, e o que gostaríamos que acontecesse conosco. Mas o Senhor já sabe de tudo isso, e às vezes nos pede apenas para ouvir o que o Universo nos diz. E ter paciência."

O garoto olhava surpreso. Não devia estar entendendo nada, e mesmo assim Elias sentia necessidade de continuar a conversa. Podia ser que — quando crescesse — uma daquelas palavras pudesse ajudá-lo numa situação difícil.

"Todas as batalhas na vida servem para nos ensinar alguma coisa — inclusive aquelas que perdemos. Quando você crescer, descobrirá que já defendeu mentiras, enganou a si mesmo ou sofreu por bobagens. Se for um bom guerreiro, não se culpará por isto — mas tampouco deixará que seus erros se repitam."

Resolveu calar-se; um menino daquela idade não podia compreender o que estava falando. Caminhavam devagar, e Elias olhava as ruas da cidade que um dia o acolhera — e que agora estava próxima a desaparecer. Tudo dependia da decisão que ele tomasse.

Akbar estava mais silenciosa do que de costume. Na praça central as pessoas conversavam em voz baixa — como se tivessem medo de que o vento levasse suas palavras até o acampamento assírio. Os mais velhos garantiam que não ia acontecer nada, os jovens estavam animados com a possibilidade de luta, os mercadores e artesãos faziam planos de ir para Tiro e Sidon até que as coisas se acalmassem.

"Para eles é fácil partir", pensou. Mercadores podem transportar seus bens para qualquer parte do mundo. Artesãos podem trabalhar mesmo em lugares onde falam uma língua estranha. "Eu, porém, preciso da permissão do Senhor."

Chegaram ao poço e encheram duas vasilhas de água. Geralmente, aquele lugar estava sempre cheio; as mulheres se reuniam para lavar, tingir os tecidos e comentar tudo o que acontecia na cidade. Nenhum segredo era capaz de continuar existindo quando chegava perto do poço; as novidades sobre comércio, as traições familiares, os problemas entre vizinhos, a vida íntima dos governantes, todos os assuntos — sérios ou superficiais — eram discutidos, comentados, criticados ou aplaudidos ali. Mesmo durante os meses em que a força inimiga crescera sem parar, Jezabel — a princesa que conquistara o rei de Israel — continuava a ser o assunto preferido. Elogiavam sua bravura, sua coragem, e tinham certeza de que, se algo acontecesse com a cidade, ela retornaria ao seu país para vingá-los.

Naquela manhã, porém, não havia quase ninguém. As poucas mulheres que lá estavam diziam que era preciso ir até o campo e pegar o máximo de cereais possível, porque os assírios iriam em breve fechar as entradas e saídas da cidade. Duas delas faziam planos para ir até o Monte Cinco, oferecer sacrifícios aos deuses — não queriam que seus filhos morressem em combate.

"O sacerdote disse que podemos resistir por muitos meses", comentou uma delas com Elias. "Basta termos a coragem necessária para defender a honra de Akbar, e os deuses ajudarão."

O menino ficou assustado.

"O inimigo vai atacar?", perguntou.

Elias não respondeu; dependia da escolha que o anjo lhe propusera na noite anterior.

"Estou com medo", insistiu o garoto.

"Isto prova que você gosta da vida. É normal sentir medo, nos momentos certos."

Elias e o menino voltaram para casa antes de a manhã terminar. A mulher estava cercada de pequenas vasilhas, com tintas de diversas cores.

"Tenho que trabalhar", ela disse, olhando as letras e

103

frases inacabadas. "Por causa da seca, a cidade está cheia de poeira. Os pincéis vivem sujos, a tinta se mistura com o pó, e tudo fica mais difícil."

Elias continuou calado: não queria dividir suas preocupações com ela. Sentou-se num canto da sala e ficou absorto em seus pensamentos. O menino saiu para brincar com os amigos.

"Ele precisa de silêncio", disse a mulher para si mesma, e procurou concentrar-se no trabalho.

Demorou o resto da manhã para completar algumas palavras que poderiam ter sido escritas na metade do tempo, e sentiu-se culpada por não estar fazendo o que esperavam dela; afinal de contas, pela primeira vez na vida tinha a chance de sustentar sua família.

Voltou ao trabalho; estava usando o papiro, material que um mercador vindo do Egito trouxera recentemente — pedindo que anotasse algumas mensagens comerciais que precisava enviar a Damasco. A folha não era da melhor qualidade, e a tinta borrava a cada momento. "Mesmo com todas essas dificuldades, é melhor do que desenhar no barro."

Os países vizinhos tinham o costume de mandar suas mensagens em placas de argila ou em couro de animais. Embora o Egito fosse um país decadente, com uma escrita ultrapassada, pelo menos haviam descoberto uma maneira prática e leve de registrar seu comércio e sua história; cortavam em fatias uma planta que nascia às margens do Nilo, e conseguiam — por um processo simples — grudar essas fatias uma ao lado da outra, formando uma folha meio amarelada. Akbar precisava importar o papiro, porque era impossível cultivá-lo no vale. Embora fosse caro, os mercadores preferiam usá-lo, pois conseguiam colocar as folhas escritas no bolso — o que seria impossível fazer com os tabletes de argila e peles de animais.

"Tudo está ficando mais simples", pensou. Pena que era necessária a autorização do governo para usar o alfabeto de Biblos no papiro. Alguma lei ultrapassada ainda continuava obrigando os textos escritos a passarem pela fiscalização do Conselho de Akbar.

Assim que terminou o trabalho, mostrou-o a Elias — que passara todo aquele tempo olhando, sem comentar nada.

"Gosta do resultado?", perguntou.

Ele pareceu sair de um transe.

"Sim, é bonito", respondeu, sem prestar atenção ao que dizia.

Devia estar conversando com o Senhor. E ela não queria interrompê-lo. Saiu, e foi chamar o sacerdote.

Quando ela voltou, Elias ainda estava sentado no mesmo lugar. Os dois homens se encararam. Nenhum deles disse nada por muito tempo.

Foi o sacerdote que quebrou o silêncio.

"Você é um profeta, e fala com anjos. Eu apenas interpreto as leis antigas, executo rituais, e procuro defender meu povo dos erros que comete. Por isso sei que esta não é uma luta entre homens. É uma batalha dos deuses — e não devo evitá-la."

"Admiro sua fé, embora você adore deuses que não existem", respondeu Elias. "Se a situação atual é, como você diz, digna de uma batalha celestial, o Senhor me usará como instrumento para derrotar Baal e seus companheiros do Monte Cinco. Teria sido melhor se tivesse ordenado meu assassinato."

"Pensei nisto. Mas não foi necessário; no momento certo, os deuses agiram a meu favor."

Elias não respondeu. O sacerdote virou-se e pegou o papiro onde a mulher acabara de escrever seu texto.

"Está bem-feito", comentou. Depois de ler cuidadosamente, tirou seu anel do dedo, molhou numa das pequenas vasilhas de tinta e aplicou seu selo no canto esquerdo. Se alguém fosse descoberto carregando um papiro sem o selo do sacerdote, podia ser condenado à morte.

"Por que o senhor tem que fazer isto sempre?", perguntou ela.

"Porque estes papiros transportam ideias", respondeu ele. "E as ideias têm poder."

"São apenas transações comerciais."

"Mas podiam ser planos de batalha. Ou uma relação de nossas riquezas. Ou nossas preces secretas. Hoje em dia, com as letras e os papiros, ficou fácil roubar a inspiração de um povo. É difícil esconder os tabletes de barro, ou o couro de animais; mas a combinação do papiro com o alfabeto de Biblos pode acabar com a cultura de cada país, e destruir o mundo."

Uma mulher entrou.

"Sacerdote! Sacerdote! Venha ver o que está ocorrendo!"

Elias e a viúva seguiram-no. Pessoas surgiram de todos os cantos, dirigindo-se para o mesmo lugar; o ar estava praticamente irrespirável com a poeira que levantavam. As crianças corriam na frente, rindo e fazendo algazarra. Os adultos caminhavam devagar, em silêncio.

Quando chegaram à porta Sul da cidade, uma pequena multidão já estava ali reunida. O sacerdote abriu caminho entre as pessoas, e deparou com o motivo de toda aquela confusão.

Uma sentinela de Akbar estava ajoelhada, com os braços abertos, as mãos pregadas numa madeira colocada sobre seus ombros. Suas roupas estavam em farrapos, e o olho esquerdo tinha sido vazado por um graveto de madeira.

Em seu peito, escrito com golpes de punhal, estavam alguns caracteres assírios. O sacerdote entendia o egípcio, mas a língua assíria ainda não era importante o bastante para ser aprendida e decorada; foi necessário pedir a ajuda de um comerciante que assistia à cena.

"'Declaramos guerra' é o que está escrito", traduziu o homem.

As pessoas em volta não disseram uma palavra. Elias podia ver o pânico estampado em suas faces.

"Entregue-me sua espada", disse o sacerdote para um dos soldados presentes.

O soldado obedeceu. O sacerdote pediu que avisassem o governador e o comandante do que havia ocorrido. Em seguida, com um golpe rápido, enfiou a lâmina no coração da sentinela ajoelhada.

O homem deu um gemido e caiu por terra. Estava morto, livre da dor e da vergonha de ter-se deixado capturar.

"Amanhã irei ao Monte Cinco oferecer sacrifícios", disse ao povo assustado. "E os deuses tornarão a lembrar-se de nós."

Antes de partir, virou-se para Elias:

"Você está vendo com seus próprios olhos. Os céus continuam ajudando."

"Apenas uma pergunta", disse Elias. "Por que deseja ver sacrificar o povo de seu país?"

"Porque é necessário matar uma ideia."

Ao vê-lo conversar com a mulher aquela manhã, Elias já tinha percebido qual era esta ideia: o alfabeto.

"É tarde demais. Já está espalhado pelo mundo, e os assírios não podem conquistar a Terra inteira."

"Quem lhe disse que não? Afinal de contas, os deuses do Monte Cinco estão do lado de seus exércitos."

Durante horas ele caminhou pelo vale, como fizera na tarde anterior. Sabia que haveria pelo menos uma tarde e uma noite de paz: nenhuma guerra era travada na escuridão, porque os guerreiros não podiam distinguir o inimigo. Sabia que, naquela noite, o Senhor lhe dava a chance de mudar o destino da cidade que o acolhera.

"Salomão saberia o que fazer agora", comentou com seu anjo. "E Davi, e Moisés, e Isaac. Eles eram homens de confiança do Senhor, mas eu sou apenas um servo indeciso. O Senhor me dá uma escolha que devia ser Dele."

"A história de nossos antepassados parece estar cheia de homens certos, nos lugares certos", respondeu o anjo. "Não acredites nisso: o Senhor só exige das pessoas aquilo que está dentro das possibilidades de cada um."

"Então Ele enganou-se comigo."

"Toda aflição que chega, termina por ir embora. Assim é com as glórias e as tragédias do mundo."

"Não me esquecerei disto", disse Elias. "Mas, quando partem, as tragédias deixam marcas eternas, e as glórias deixam lembranças inúteis."

O anjo não respondeu.

"Por que, durante todo este tempo em que estive em Akbar, fui incapaz de conseguir aliados para lutar pela paz? Qual a importância de um profeta solitário?"

"Qual a importância do sol, que caminha no céu sem companhia? Qual a importância de uma montanha que surge no meio de um vale? Qual a importância de um poço isolado? São eles que indicam o caminho que a caravana deve seguir."

"Meu coração está sufocado pela tristeza", disse Elias, ajoelhando-se, e estendendo os braços para o céu. "Oxalá pudesse morrer aqui, e jamais ter as mãos manchadas com o sangue do meu povo, ou de um povo estrangeiro. Olhe para trás: o que vê?"

"Sabes que sou cego", disse o anjo. "Porque meus olhos ainda mantêm a luz da glória do Senhor, não consigo ver mais nada. Tudo que posso perceber é o que o teu coração me conta. Tudo que posso enxergar são as vibrações dos perigos que te ameaçam. Não posso saber o que está atrás de ti."

"Pois lhe direi: ali está Akbar. Vista a esta hora do dia, com o sol da tarde iluminando seu perfil, ela é linda. Acostumei-me com suas ruas e muralhas, com seu povo generoso e acolhedor. Embora os habitantes da cidade ainda vivam presos ao comércio e às superstições, têm o coração tão puro como qualquer outra nação do mundo. Aprendi com eles muitas coisas que não sabia; em troca, escutei os lamentos de seus habitantes, e — inspirado por Deus — consegui resolver seus conflitos internos. Muitas vezes corri perigo, e sempre alguém me ajudou. Por que tenho que escolher entre salvar esta cidade ou redimir o meu povo?"

"Porque um homem tem que escolher", respondeu o anjo. "Nisto reside sua força: o poder de suas decisões."

"É uma escolha difícil: exige aceitar a morte de um povo, para salvar um outro."

"Mais difícil ainda é definir um caminho para si mesmo. Quem não faz uma escolha, morre aos olhos do Senhor, embora ainda continue respirando e caminhando pelas ruas."

"Além do mais", continuou o anjo, "ninguém morre. A Eternidade está de braços abertos a todas as almas, e cada uma continuará sua tarefa. Há uma razão para tudo que se encontra debaixo do sol."

Elias tornou a levantar os braços para os céus:

"Meu povo afastou-se do Senhor por causa da beleza de uma mulher. A Fenícia pode ser destruída, porque um sacerdote pensa que a escrita é uma ameaça aos deuses. Por que Aquele que criou o mundo prefere usar a tragédia para escrever o livro do destino?"

Os gritos de Elias ecoaram pelo vale, e voltaram aos seus ouvidos.

"Você não sabe o que diz", respondeu o anjo. "Não há tragédia, mas o inevitável. Tudo tem sua razão de ser: você só precisa saber distinguir o que é passageiro do que é definitivo."

"O que é passageiro?", perguntou Elias.

"O inevitável."

"E o que é definitivo?"

"As lições do inevitável."

Dizendo isto, o anjo afastou-se.

Naquela noite, durante o jantar, Elias disse à mulher e ao menino:

"Preparem suas coisas. Podemos partir a qualquer momento."

"Faz dois dias que você não dorme", disse a mulher. "Um emissário do governador esteve aqui hoje à tarde; pedia para que fosse ao palácio. Eu disse que você estava no vale, e dormiria por lá."

"Você fez bem", respondeu ele, indo direto para o quarto e caindo num sono profundo.

Foi acordado na manhã seguinte pelo som de instrumentos musicais. Quando desceu para ver o que acontecia, o menino já estava na porta.

"Veja!", dizia ele, com os olhos brilhando de excitação. "É a guerra!"

Um batalhão de soldados — imponentes em suas roupas de guerra e armamentos — marchava em direção à porta Sul de Akbar. Um grupo de músicos os seguia, marcando o passo do batalhão pelo ritmo dos seus tambores.

"Você ontem estava com medo", disse Elias para o garoto.

"Não sabia que tínhamos tantos soldados. Os nossos guerreiros são os melhores!"

Deixou o menino e saiu para a rua; precisava, a qualquer custo, encontrar o governador. Os outros habitantes da cidade também haviam sido acordados pelo som dos hinos de guerra, e estavam hipnotizados; pela primeira vez em suas vidas assistiam ao desfile de um batalhão organizado, em seus uniformes militares, com as lanças e os escudos refletindo os primeiros raios de sol. O comandante conseguira realizar um trabalho invejável; preparara seu exército sem que ninguém percebesse, e agora — este era o medo de Elias — podia fazer com que todos acreditassem que a vitória sobre os assírios era possível.

Abriu caminho entre os soldados, e conseguiu chegar até a frente da coluna. Ali, montados em cavalos, o comandante e o governador lideravam a marcha.

"Nós temos um trato", disse Elias, correndo ao lado do governador. "Eu posso fazer um milagre!"

O governador não lhe respondeu. A guarnição atravessou a muralha e saiu para o vale.

"Você sabe que este exército é uma ilusão!", insistiu. "Os assírios têm a vantagem de cinco para um, e possuem experiência de guerra! Não deixe que Akbar seja destruída!"

"O que você deseja de mim?", perguntou o governador, sem parar o seu animal. "Ontem à noite enviei um emissário para conversarmos, e mandaram dizer que estava fora da cidade. Que mais eu podia fazer?"

"Enfrentar os assírios em campo aberto é um suicídio! Vocês sabem disso!"

O comandante escutava a conversa, sem fazer qualquer comentário. Já discutira sua estratégia com o governador; o profeta israelita ficaria surpreso.

Elias corria ao lado dos cavalos, sem saber exatamente o que devia fazer. A coluna de soldados deixou a cidade, e dirigiu-se para o meio do vale.

"Ajuda-me, Senhor", pensava ele. "Assim como detiveste o sol para ajudar Josué no combate, detém o tempo, e faz com que eu consiga convencer o governador de seu erro."

Quando terminou de pensar isto, o comandante gritou:

"Alto!"

"Talvez seja um sinal", disse Elias para si mesmo. "Preciso aproveitá-lo."

Os soldados formaram duas linhas de combate, como muralhas humanas. Os escudos foram solidamente apoiados no solo, e as armas apontavam para a frente.

"Acredita que está vendo os guerreiros de Akbar?", disse o governador para Elias.

"Estou vendo jovens que riem diante da morte", foi a resposta.

"Pois saiba que aqui existe apenas um batalhão. A maior parte de nossos homens está na cidade, em cima das muralhas. Colocamos caldeirões de óleo fervendo prontos para serem despejados sobre a cabeça de quem tentar subi-las.

"Temos alimentos distribuídos por várias casas, evitando que flechas incendiárias possam acabar com nossa comida. Segundo os cálculos do comandante, podemos resistir por quase dois meses ao sítio da cidade. Enquanto os assírios se preparavam, nós fazíamos o mesmo."

"Nunca me contaram isto", disse Elias.

"Lembre-se: mesmo tendo ajudado o povo de Akbar, você continua a ser um estrangeiro, e alguns militares podiam confundi-lo com um espião."

"Mas você desejava a paz!"

"A paz continua possível, mesmo depois de iniciado um combate. Só que negociaremos em condições de igualdade."

O governador contou que mensageiros haviam sido despachados para Tiro e Sidon, dando conta da gravidade da situação. Fora difícil para ele pedir ajuda; podiam pensar que era incapaz de controlar a situação. Mas chegara à conclusão de que essa era a única saída.

O comandante desenvolvera um plano engenhoso; assim que o combate começasse, ele retornaria à cidade, para organizar a resistência. A tropa que agora estava no campo devia matar o máximo de inimigos possível e depois retirar-se para as montanhas. Conheciam aquele vale melhor que ninguém, e podiam atacar os assírios em pequenas escaramuças, diminuindo a pressão do cerco.

Em breve viria o socorro, e o exército assírio seria dizimado.

"Podemos resistir por sessenta dias, mas isso não será necessário", disse o governador para Elias.

"Mas muitos irão morrer."

"Estamos todos diante da morte. E ninguém tem medo, nem mesmo eu."

O governador estava surpreso com sua própria coragem. Nunca estivera antes numa batalha, e — à medida que o combate se aproximava — fizera planos para fugir da cidade. Naquela manhã, combinara com alguns de seus homens mais fiéis a melhor maneira de bater em retirada. Não poderia ir para Tiro ou Sidon — porque seria considerado um traidor, mas Jezabel o acolheria, já que ela precisava de homens de confiança ao seu lado.

Entretanto, ao pisar no campo de batalha, via nos olhos dos soldados uma enorme alegria — como se tivessem sido treinados a vida inteira para um objetivo, e finalmente o grande momento havia chegado.

"O medo existe até o momento em que o inevitável acontece", disse para Elias. "Depois disso, não devemos perder nossa energia com ele."

Elias estava confuso. Sentia a mesma coisa, embora tivesse vergonha de reconhecê-lo; lembrou-se da excitação do menino quando a tropa passara.

"Vá embora", disse o governador. "Você é um estrangeiro, desarmado, e não precisa combater por algo que não acredita."

Elias não se moveu.

"Eles virão", disse o comandante. "Você foi pego de surpresa, mas nós estamos preparados."

Mesmo assim, Elias continuou ali.

Olharam o horizonte; nenhuma poeira, o exército assírio não estava se movendo.

Os soldados da primeira fila seguravam suas lanças com firmeza, mantendo-as apontadas para a frente; os arqueiros já tinham as cordas semiestendidas, para enviar suas flechas assim que o comandante desse a ordem. Alguns homens davam golpes no ar com a espada, mantendo os músculos aquecidos.

"Tudo está pronto", repetiu o comandante. "Eles vão atacar."

Elias notou a euforia em sua voz. Devia estar ansioso para que a batalha começasse; queria lutar e mostrar sua bravura. Com certeza imaginava os guerreiros assírios, os golpes de espada, os gritos e a confusão, via-se sendo lembrado pelos sacerdotes fenícios como um exemplo de eficiência e coragem.

O governador interrompeu seus pensamentos:

"Eles não estão se movendo."

Elias lembrou-se do que pedira ao Senhor; que o sol parasse nos céus, como fizera para Josué. Tentou conversar com seu anjo, mas não escutou sua voz.

Pouco a pouco os lanceiros foram abaixando suas armas, os arqueiros relaxaram a tensão dos arcos, os homens guardaram suas espadas na bainha. O sol escaldante do meio-dia chegou, e alguns guerreiros desmaiaram com o calor; mesmo assim, o destacamento ficou de prontidão até o final da tarde.

Quando o sol ocultou-se, os guerreiros voltaram para Akbar; pareciam desapontados por terem sobrevivido a mais um dia.

Apenas Elias permaneceu no meio do vale. Caminhou sem rumo por algum tempo, quando viu a luz. O anjo do Senhor surgiu diante dele.

"Deus escutou tuas preces", disse o anjo. "E viu o tormento em tua alma."

Elias virou-se para os céus, e agradeceu as bênçãos.

"O Senhor é a fonte da glória e do poder. Ele deteve o exército assírio."

"Não", respondeu o anjo. "Tu disseste que a escolha devia ser Dele. E Ele fez a escolha por ti."

"Vamos embora", disse para a mulher e seu filho.

"Não quero ir", respondeu o menino. "Tenho orgulho dos soldados de Akbar."

A mãe obrigou-o a juntar seus pertences.

"Leve apenas o que puder carregar", disse ela.

"A senhora esquece que somos pobres, e eu não tenho muito."

Elias subiu até o seu quarto. Olhou em volta, como se fosse a primeira e a última vez; em seguida desceu, e ficou olhando a viúva guardar suas tintas.

"Obrigada por levar-me com você", disse ela. "Quando me casei, tinha apenas quinze anos, e não sabia como era a vida. Nossas famílias haviam arranjado tudo, eu fora educada desde a infância para aquele momento, e cuidadosamente preparada para ajudar o marido em qualquer circunstância."

"Você o amava?"

"Eduquei meu coração para isto. Já que não havia escolha, convenci a mim mesma que aquele era o melhor caminho. Quando perdi o meu marido, conformei-me com os dias e noites iguais, e pedi aos deuses do Monte Cinco — naquela época eu ainda acreditava neles

— que me levassem embora quando meu filho pudesse viver sozinho.

"Foi então que você surgiu. Já lhe disse uma vez isto, e quero repetir agora: a partir daquele dia, passei a reparar na beleza do vale, na silhueta escura das montanhas se projetando contra o céu, na lua que muda de forma, para que o trigo possa crescer. Muitas noites, enquanto você dormia, eu passeava por Akbar, escutava o choro das crianças recém-nascidas, as cantigas dos homens que tinham bebido depois do trabalho, os passos firmes das sentinelas em cima da muralha. Quantas vezes eu já vira aquela paisagem, e não reparara como era bela? Quantas vezes olhara para o céu, sem notar que era profundo? Quantas vezes escutara os ruídos de Akbar à minha volta, sem perceber que faziam parte de minha vida?

"Voltei a ter uma imensa vontade de viver. Você mandou-me estudar os caracteres de Biblos, e eu o fiz. Pensava apenas em agradá-lo, mas me entusiasmei pelo que fazia, e descobri: *O sentido de minha vida era o que eu quisesse dar a ela.*"

Elias acariciou seus cabelos. Era a primeira vez que fazia aquilo.

"Por que não tem sido sempre assim?", ela perguntou.

"Porque tinha medo. Mas hoje, enquanto esperava a batalha, escutei as palavras do governador — e pensei em você. O medo vai até onde o inevitável começa; a partir daí, perde o sentido. E tudo que nos sobra é a esperança de que tomamos a decisão certa."

"Estou pronta", disse ela.

"Voltaremos para Israel. O Senhor já me disse o que devo fazer, e assim farei. Jezabel será afastada do poder."

Ela não disse nada. Como todas as mulheres da Fenícia, tinha orgulho de sua princesa. Quando chegassem lá, tentaria convencer o homem ao seu lado a mudar de ideia.

"Será uma longa viagem, e não teremos descanso até que eu faça o que Ele me pediu", disse Elias, como se adivinhasse seu pensamento. "Entretanto, seu amor será meu apoio, e — nos momentos em que estiver cansado das batalhas em nome Dele — poderei descansar no seu colo."

O menino veio com uma pequena sacola nos ombros. Elias pegou-a, e disse para a mulher:

"É chegada a hora. Quando cruzar as ruas de Akbar, lembre-se de cada casa, e cada ruído. Porque não a tornará a ver nunca mais."

"Eu nasci em Akbar", disse ela. "E a cidade permanecerá sempre em meu coração."

O menino escutou aquilo, e prometeu a si mesmo que nunca mais esqueceria as palavras de sua mãe. Se algum dia pudesse voltar, veria a cidade como se estivesse vendo o seu rosto.

Já estava escuro quando o sacerdote chegou aos pés do Monte Cinco. Trazia na mão direita um bastão, e carregava uma sacola com a esquerda.

Tirou da sacola o óleo sagrado e untou a fronte e os pulsos. Depois, com o bastão, desenhou na areia o touro e a pantera, símbolos do Deus da Tempestade e da Grande Deusa. Fez as orações rituais; no final abriu os braços para o céu — para receber a revelação divina.

Os deuses não falavam mais. Já tinham dito tudo o que queriam, e agora exigiam apenas o cumprimento dos rituais. Os profetas haviam desaparecido em todo o mundo — exceto em Israel, que era um país atrasado, supersticioso, que ainda acreditava que os homens podem se comunicar com os criadores do Universo.

Lembrou-se de que, duas gerações atrás, Tiro e Sidon haviam comerciado com um rei de Jerusalém, chamado Salomão. Ele estava construindo um grande templo, e queria orná-lo com o que havia de melhor no mundo; então mandara comprar os cedros da Fenícia, que eles chamavam de Líbano. O rei de Tiro fornecera o material necessário, e recebera, em troca, vinte cidades na Galileia, mas estas não lhe agradaram. Salomão, então, ajudara a construir seus primeiros navios, e agora a Fenícia tinha a maior frota comercial do mundo.

Naquela época, Israel ainda era uma grande nação — embora cultuasse um só deus, do qual nem mesmo sabiam o nome, e costumavam chamá-lo apenas de "o Senhor". Uma princesa de Tiro conseguira fazer com que Salomão voltasse à verdadeira fé, e ele edificara um altar aos deuses do Monte Cinco. Os israelitas insistiam que "o Senhor" punira o mais sábio de seus reis, fazendo com que as guerras o afastassem do governo.

Seu filho Jeroboão, porém, continuou o culto que o pai havia iniciado. Mandou fazer dois bezerros de ouro, e o povo israelita os adorava. Foi então que os profetas entraram em cena — e começaram uma luta sem tréguas com o governo.

Jezabel estava certa: a única maneira de manter viva a verdadeira fé era acabando com os profetas. Embora ela fosse uma mulher suave, educada na tolerância e no horror pela guerra, sabia que existe um momento em que a violência é a única saída. O sangue que manchava agora as suas mãos seria perdoado pelos deuses aos quais servia.

"Em breve, minhas mãos também estarão manchadas de sangue", disse o sacerdote para a montanha silenciosa à sua frente. "Assim como os profetas são a maldição de Israel, a escrita é a maldição da Fenícia. Ambos causam um mal que pode ser irremediável, e é preciso deter os dois, enquanto ainda é possível. O deus do Tempo não pode partir agora."

Estava preocupado com o que acontecera naquela manhã: o exército inimigo não havia atacado. O Deus do

Tempo já abandonara a Fenícia no passado, porque se irritara com os habitantes. Em consequência, o fogo das lâmpadas ficara parado, os carneiros e vacas abandonaram suas crias, o trigo e a cevada continuaram sempre verdes. O Deus Sol mandou gente importante procurá-lo — a águia e o Deus da Tempestade —, mas ninguém conseguia achar o deus do Tempo. Finalmente, a Grande Deusa enviou uma abelha — que o encontrou dormindo num bosque, e deu-lhe uma picada. Ele acordou furioso, e começou a destruir tudo à sua volta. Foi preciso prendê-lo e retirar o ódio que havia em sua alma — mas a partir daí tudo voltou ao normal.

Se decidisse partir de novo, a batalha não aconteceria. Os assírios ficariam para sempre na entrada do vale, e Akbar continuaria existindo.

"A coragem é o medo que faz suas preces", disse ele. "Por isto estou aqui; porque não posso vacilar no momento do combate. Tenho que mostrar aos guerreiros de Akbar que existe uma razão para defender a cidade. Não é o poço, não é o mercado, não é o palácio do governador. Vamos enfrentar o exército assírio porque precisamos dar o exemplo."

A vitória assíria acabaria para sempre com a ameaça do alfabeto. Os conquistadores iriam impor sua língua e seus costumes — embora continuassem adorando os mesmos deuses no Monte Cinco; isto era o que importava.

"No futuro, nossos navegadores levarão a outros países as façanhas dos guerreiros. Os sacerdotes se lembrarão dos nomes e da data em que Akbar tentou resistir à invasão assíria. Os pintores desenharão caracteres egípcios nos papiros, os escribas de Biblos estarão mortos. Os textos sagrados continuarão em poder apenas daqueles que nasceram para aprendê-los. Então, as próximas gerações tentarão imitar o que fizemos, e construiremos um mundo melhor."

"Mas agora", continuou ele, "precisamos perder esta batalha. Lutaremos com bravura, mas estamos numa situação inferior; e morreremos com glória."

Nesse momento o sacerdote escutou a noite e viu que estava certo. O silêncio antecipava o momento de um combate importante, mas os habitantes de Akbar o interpretavam de maneira errada; abaixaram suas lanças, e divertiam-se, quando precisavam vigiar. Não prestavam atenção no exemplo da natureza: os animais ficam em silêncio quando o perigo está próximo.

"Que se cumpram os desígnios dos deuses. Que os céus não caiam sobre a Terra, porque fizemos tudo direito, e obedecemos à tradição", completou ele.

Elias, a mulher e o menino seguiam em direção ao oeste, onde ficava Israel; não havia necessidade de passar pelo acampamento assírio, que se encontrava ao sul. A lua cheia facilitava a caminhada, mas, ao mesmo tempo, projetava sombras estranhas e desenhos sinistros nas rochas e nas pedras do vale.

No meio da escuridão, surgiu o anjo do Senhor. Trazia uma espada de fogo na sua mão direita.

"Aonde vais?", perguntou.

"A Israel", respondeu Elias.

"O Senhor te chamou?"

"Já conheço o milagre que Deus espera que eu faça. E agora sei onde devo executá-lo."

"O Senhor te chamou?", repetiu o anjo.

Elias ficou em silêncio.

"O Senhor te chamou?", disse o anjo pela terceira vez.

"Não."

"Então volta ao lugar de onde saíste, porque ainda não cumpriste o teu destino. O Senhor ainda não te chamou."

"Deixa ao menos que eles partam, porque nada têm que fazer aqui", implorou Elias.

Mas o anjo já não estava mais lá. Elias largou no chão

o saco que carregava. Sentou-se no meio da estrada e chorou amargamente.

"O que houve?", perguntaram a mulher e o menino, que nada tinham visto.

"Vamos voltar", disse ele. "O Senhor assim o deseja."

Não conseguiu dormir direito. Acordou no meio da noite, e percebeu a tensão no ar à sua volta; um vento maligno soprava pelas ruas, semeando medo e desconfiança.

"No amor de uma mulher, descobri o amor por todas as criaturas", rezava em silêncio. "Preciso dela. Sei que o Senhor não se esquecerá que sou um de Seus instrumentos, talvez o mais fraco que escolheu. Ajuda-me, Senhor, porque preciso repousar tranquilo no meio das batalhas."

Lembrou-se do comentário do governador sobre a inutilidade do medo. Apesar disso, não conseguia conciliar o sono. "Preciso de energia e tranquilidade; dai-me repouso enquanto é possível."

Pensou em chamar o seu anjo, conversar um pouco com ele; mas podia ouvir coisas que não desejava, e mudou de ideia. Para relaxar, desceu até a sala; as sacolas que a mulher preparara para a fuga ainda não estavam desfeitas.

Pensou em ir até o seu quarto. Lembrou-se do que o Senhor dissera a Moisés, antes de uma batalha: "*O homem que ama uma mulher e ainda não a recebeu, que vá e torne à sua casa, para que não morra na luta e outro homem a receba*".

Ainda não haviam coabitado. Mas tinha sido uma noite exaustiva, e não era este o momento de fazê-lo.

Resolveu desfazer as sacolas e colocar cada coisa em seu lugar. Descobriu que ela carregava consigo, além das poucas roupas que possuía, os instrumentos para desenhar os caracteres de Biblos.

Pegou um estilete, molhou um pequeno tablete de barro e começou a rabiscar algumas letras; aprendera a escrever enquanto olhava a mulher trabalhando.

"Que coisa simples e genial", pensou, tentando distrair-se. Muitas vezes, quando ia ao poço pegar água, escutava os comentários das mulheres: "Os gregos roubaram nossa invenção mais importante". Elias sabia que não era assim: a adaptação que eles tinham feito, ao incluir as vogais, transformara o alfabeto em algo que todos os povos e nações poderiam usar. Além do mais, chamavam suas coleções de pergaminhos de *bíblias*, em homenagem à cidade onde ocorrera a invenção.

As bíblias gregas eram escritas em couro de animais. Elias acreditava que era uma maneira muito frágil de guardar as palavras; o couro não era tão resistente quanto os tabletes de barro, e podia ser roubado facilmente. Os papiros rasgavam-se depois de algum tempo de manuseio, e eram destruídos pela água. "As bíblias e papiros não darão certo; só os tabletes de barro estão destinados a permanecer para sempre", refletiu.

Caso Akbar sobrevivesse por mais algum tempo, iria recomendar ao governador que mandasse escrever toda a história de seu país, e guardasse os tabletes de barro numa sala especial — de modo que as gerações futuras pudessem consultá-los. Dessa maneira, se por acaso os sacerdotes fenícios — que guardavam na memória a história de seu povo — fossem dizimados um dia, os feitos dos guerreiros e dos poetas não seriam esquecidos.

Brincou durante algum tempo, desenhando as mesmas letras em ordem diferente, e formando várias palavras. Ficou maravilhado com o resultado. A tarefa relaxou-o, e ele voltou para a cama.

Acordou algum tempo depois, com um estrondo; a porta do seu quarto estava sendo jogada por terra.

"Não é um sonho. Não são os exércitos do Senhor em combate."

Sombras saíam de todos os cantos gritando como dementes, numa linguagem que ele não entendia.

"Os assírios."

Outras portas caíam, paredes eram derrubadas com potentes golpes de martelo, os gritos dos invasores se misturavam com os pedidos de socorro que subiam da praça. Tentou ficar de pé, mas uma das sombras o derrubou por terra. Um ruído surdo sacudiu o andar de baixo.

"Fogo", pensou Elias. "Incendiaram a casa."

"É você", escutou alguém dizendo em fenício. "Você é o chefe. Escondido como um covarde na casa de uma mulher."

Olhou para o rosto de quem acabara de falar; chamas iluminavam o quarto, e ele pôde ver um homem, barbas compridas, em uniforme militar. Sim, os assírios tinham chegado.

"Vocês invadiram de noite?", perguntou, desorientado.

Mas o homem não respondeu. Viu o brilho das espadas desembainhadas, e um dos guerreiros feriu-o no braço direito.

Elias fechou os olhos; as cenas de toda a sua vida passaram diante dele numa fração de segundo. Tornou a brincar nas ruas da cidade onde nascera, viajou pela primeira vez até Jerusalém, sentiu o cheiro da madeira cortada na carpintaria, deslumbrou-se de novo com a vastidão do mar e com a roupa que usavam nas grandes cidades da costa. Viu-se passeando pelos vales e montanhas da Terra Prometida, lembrou-se que conhecera Jezabel, ela parecia ainda menina e encantava a todos que se aproximavam. Assistiu mais uma vez ao massacre dos profetas, tornou a escutar a voz do Senhor que o mandava para o deserto. Reviu de novo os olhos da mulher que o esperava na entrada de Sarepta — que seus habitantes chamavam de Akbar — e entendeu que a amara desde o primeiro momento. Tornou a subir o Monte Cinco, ressuscitar uma criança e ser acolhido pelo povo como um sábio e um juiz. Olhou para o céu que mudava rapidamente suas constelações de lugar, deslumbrou-se com a lua que mostrava suas quatro fases num mesmo instante, sentiu o frio, o calor, o outono e a primavera, experimentou mais uma vez a chuva e o clarão do raio. As nuvens tornaram a passar, de milhões de formas diferentes, e os rios correram suas águas pela segunda vez no mesmo leito. Reviveu o dia em que notara a primeira tenda assíria sendo armada, depois a segunda, as várias, as muitas, os anjos que iam e vinham, a espada de fogo no caminho de Israel, a insônia, os desenhos nos tabletes e...

Estava de novo no presente. Pensava no que estava acontecendo no andar de baixo, era preciso salvar a todo custo a viúva e seu filho.

"Fogo!", dizia para os soldados inimigos. "A casa está pegando fogo!"

Não tinha medo; sua única preocupação era a viúva e seu filho. Alguém empurrou sua cabeça contra o chão, e ele sentiu o gosto da terra em sua boca. Beijou-a, disse o quanto a amava e explicou que fizera o possível para evitar aquilo. Queria livrar-se de seus captores, mas alguém mantinha o pé em seu pescoço.

"Ela deve ter fugido", pensou. "Não fariam mal a uma mulher indefesa."

Uma profunda calma tomou conta de seu coração. Talvez o Senhor tivesse se dado conta de que ele era o homem errado, e descobrira um outro profeta para resgatar Israel do pecado. A morte havia chegado afinal — da maneira que esperava, através do martírio. Aceitou seu destino, e ficou esperando o golpe mortal.

Passaram-se alguns segundos; as vozes continuavam seus gritos, o sangue jorrava de seu ferimento, mas o golpe fatal não vinha.

"Peça que me matem logo!", gritou, sabendo que pelo menos um deles falava sua língua.

Ninguém prestou atenção ao que dizia. Discutiam acaloradamente, como se alguma coisa errada estivesse acontecendo. Alguns soldados começaram a chutá-lo, e — pela primeira vez — Elias notou o instinto de sobrevivência retornando. Isso o deixou em pânico.

"Não posso desejar mais a vida", pensou desesperado. "Porque não vou conseguir sair deste quarto."

Nada acontecia, porém. O mundo parecia eternizar-se naquela confusão de gritos, ruídos e pó. Talvez o Senhor tivesse feito o que fizera com Josué, e o tempo parara no meio do combate.

Foi quando escutou os gritos da mulher no andar de baixo. Num esforço sobre-humano conseguiu empurrar um dos guardas e levantar-se, mas logo tornaram a derrubá-lo por terra. Um soldado chutou sua cabeça, e ele desmaiou.

Alguns minutos depois recuperou os sentidos. Os assírios o tinham levado para o meio da rua.

Ainda tonto, levantou a cabeça: todas as casas do bairro ardiam.

"Uma mulher indefesa e inocente está presa lá dentro! Salvem-na!"

Gritos, correria, confusão por toda parte. Tentou levantar-se, mas foi de novo derrubado.

"Senhor, Tu podes fazer o que quiseres comigo, porque dediquei minha vida e minha morte à Tua causa", rezou Elias. "Mas salva aquela que me acolheu!"

Alguém o levantou pelos braços.

"Venha ver", disse o oficial assírio que conhecia sua língua. "Você merece."

Dois guardas o seguraram e o empurraram em direção à porta. A casa estava sendo rapidamente devorada pelas chamas, e a luz do fogo iluminava tudo ao redor. Escutava os gritos que vinham de todos os cantos: crianças chorando, velhos implorando perdão, mulheres desesperadas que buscavam seus filhos. Mas ouvia apenas os pedidos de socorro daquela que o havia acolhido.

"O que está acontecendo? Há uma mulher e uma criança aí dentro! Por que fazem isto com eles?"

"Porque ela tentou esconder o governador de Akbar."

"Não sou o governador de Akbar! Vocês estão cometendo um terrível engano!"

O oficial assírio empurrou-o até a porta. O teto havia desabado com o incêndio, e a mulher estava semissoterrada pelas ruínas. Elias podia ver apenas seu braço, movendo-se desesperadamente de um lado para outro. Ela pedia socorro, implorando que não a deixassem ser queimada viva.

"Por que me poupam, e fazem isto com ela?", implorou.

"Não vamos poupá-lo, mas queremos que sofra o máximo que puder. Nosso general morreu apedrejado e sem honra, diante das muralhas da cidade. Veio em busca de vida, e foi condenado à morte. Agora você terá o mesmo destino."

Elias lutava desesperadamente para libertar-se, mas os guardas o levaram dali. Saíram pelas ruas de Akbar, no meio de um calor infernal — os soldados suavam em bicas, e alguns deles pareciam chocados com a cena que tinham acabado de ver. Elias debatia-se e clamava contra os céus, mas tanto os assírios como o Senhor estavam mudos.

Foram até o centro da praça. A maior parte dos edifícios da cidade estava ardendo, e o ruído das chamas se misturava com os gritos dos habitantes de Akbar.

"Ainda bem que existe a morte."

O pensamento surgia de modo calmo, do fundo do seu coração. Queria partir desta vida, e merecia sofrer o pior dos tormentos: a lenta morte por apedrejamento serviria para pagar a maldição que trouxera à mulher que o acolhera.

Cadáveres dos guerreiros de Akbar — a maioria deles sem uniforme — se espalhavam pelo chão. Podia ver pessoas correndo em todas as direções, sem saber aonde estavam indo, sem saber o que estavam buscando — apenas pela necessidade de fingir que estavam fazendo alguma coisa, lutando contra a morte e a destruição.

"Por que fazem isto?", pensava. "Não veem que a cidade está nas mãos do inimigo e que não têm para onde fugir?" Tudo acontecera de forma muito rápida. Os assírios haviam se aproveitado da enorme vantagem numérica, e tinham conseguido poupar seus guerreiros dos combates. Os soldados de Akbar foram exterminados quase sem luta.

Pararam no meio da praça. Elias foi colocado de joelhos no chão e teve suas mãos amarradas. Já não escutava mais os gritos da mulher; talvez houvesse morrido rápido, sem passar pela tortura lenta de ser queimada viva. O Senhor a tinha em seus braços. E ela carregava seu filho no colo.

Um outro grupo de soldados assírios trazia um prisioneiro com o rosto deformado por muitas pancadas. Mesmo assim, Elias reconheceu o comandante.

"Viva Akbar!", gritava ele. "Longa vida para a Fenícia e seus guerreiros, que se batem com o inimigo durante o dia! Morte aos covardes que atacam na escuridão!"

Mal teve tempo de completar a frase. A espada de um general assírio desceu, e a cabeça do comandante rolou por terra.

"Agora é minha vez", disse Elias para si mesmo. "Eu a encontrarei de novo no Paraíso, e passearemos de mãos dadas."

Neste momento um homem se aproximou, e começou a discutir com os oficiais. Era um habitante de Akbar que costumava frequentar os encontros na praça.

Lembrava-se de tê-lo ajudado a resolver um sério problema com um vizinho.

Os assírios discutiam, falavam cada vez mais alto, e o apontavam. O homem ajoelhou-se, beijou os pés de um deles, estendeu as mãos em direção ao Monte Cinco, e chorou como uma criança. A fúria dos assírios parecia diminuir.

A conversa parecia não ter fim. O homem implorava e chorava o tempo todo, apontando para Elias e para a casa onde vivia o governador. Os soldados pareciam não se conformar com a conversa.

Finalmente, o oficial que falava sua língua aproximou-se.

"Nosso espião", disse, apontando para o homem, "afirma que nos enganamos. Foi ele quem nos deu os planos da cidade, e podemos confiar no que diz. Você não é quem desejávamos matar."

Empurrou-o com o pé. Elias caiu por terra.

"Diz que irá a Israel, tirar a princesa que usurpou o trono. É verdade?"

Elias não respondeu.

"Diga-me se é verdade", insistiu o oficial. "E poderia sair e voltar à sua casa, a tempo de salvar aquela mulher e seu filho."

"Sim, é verdade", disse. Talvez o Senhor o houvesse escutado, e o ajudaria a salvá-los.

"Podíamos levá-lo cativo até Tiro e Sidon", continuou o oficial. "Mas ainda temos muitas batalhas pela frente, e você seria um peso em nossas costas. Podíamos exigir um resgate por você, mas de quem? Você é um estrangeiro até mesmo em seu país."

O oficial pisou no seu rosto.

"Não tem nenhuma utilidade. Não serve para os inimigos e não serve para os amigos. É como sua cidade; não vale a pena deixar parte de nosso exército aqui, para mantê-la sob nosso domínio. Quando tivermos conquistado a costa, Akbar será nossa, de qualquer maneira."

"Tenho uma pergunta", disse Elias. "Apenas uma pergunta."

O oficial olhou-o desconfiado.

"Por que atacaram de noite? Não sabem que todas as guerras são lutadas durante o dia?"

"Não rompemos a lei; não há tradição que proíba isto", respondeu o oficial. "E tivemos muito tempo para conhecer o terreno. Vocês estavam preocupados com os costumes, e se esqueceram de que as coisas mudam."

Sem dizer mais nada, o grupo deixou-o. O espião aproximou-se, e desamarrou suas mãos.

"Prometi a mim mesmo que um dia pagaria sua generosidade; cumpri minha palavra. Quando os assírios entraram no palácio, um dos servos informou que aquele que buscavam estava refugiado na casa da viúva. Enquanto eles iam até lá, o verdadeiro governador conseguia fugir."

Elias não prestava atenção. O fogo crepitava por toda parte, e os gritos continuavam.

No meio da confusão, era possível notar que um grupo ainda mantinha a disciplina; obedecendo a uma ordem invisível, os assírios se retiravam em silêncio.

A batalha de Akbar havia terminado.

"Ela está morta", disse para si mesmo. "Não quero ir até lá, porque ela já está morta. Ou foi salva por um milagre — e virá encontrar-se comigo."

Seu coração, entretanto, pedia que se levantasse e fosse até a casa onde viviam. Elias lutava contra si mesmo; não era apenas o amor de uma mulher que estava em jogo naquele momento — mas toda sua vida, a fé nos desígnios do Senhor, a partida de sua cidade natal, a ideia de que tinha uma missão e era capaz de cumpri-la.

Olhou em volta, procurando uma espada para acabar com a própria vida, mas os assírios tinham levado todas as armas de Akbar. Pensou em jogar-se nas chamas das casas que ardiam, mas teve medo da dor.

Por instantes, ficou completamente sem ação. Aos poucos foi recobrando a consciência da situação em que se encontrava. A mulher e seu filho já deviam ter partido desta terra — mas precisava sepultá-los de acordo com os costumes. O trabalho para o Senhor — existisse Ele ou não — era seu único apoio naquele momento. Depois de cumprir seu dever religioso, entregar-se-ia à dor e à dúvida.

Além do mais, havia uma possibilidade de que ainda estivessem vivos. Não podia ficar ali, sem fazer nada.

"Não quero vê-los com o rosto queimado, a pele despregando da carne. Suas almas já estão correndo livres pelos céus."

Mesmo assim, começou a andar em direção à casa, sufocado e confundido pela fumaça, que não o deixava ver direito o caminho. Aos poucos, foi se dando conta da situação na cidade. Embora os inimigos já tivessem se retirado, o pânico crescia de uma maneira assustadora.

As pessoas continuavam andando sem rumo, chorando, pedindo aos deuses pelos seus mortos.

Procurou alguém para ajudá-lo. Havia apenas um homem à vista, em total estado de choque: parecia estar longe dali.

"É melhor ir direto, e não pedir mais ajuda." Conhecia Akbar como se fosse sua cidade natal, e conseguiu orientar-se, mesmo sem reconhecer muitos dos lugares por onde estava acostumado a passar. Na rua, escutava agora gritos mais coerentes. O povo começava a entender que havia acontecido uma tragédia, e era preciso reagir a ela.

"Há um ferido aqui!", dizia um.

"Precisamos de mais água! Não vamos conseguir controlar o fogo!", dizia outro.

"Ajudem-me! Meu marido está preso!"

Chegou até o lugar onde, muitos meses atrás, tinha sido recebido e hospedado como um amigo. Uma velha estava sentada no meio da rua, quase em frente da casa, completamente nua. Elias tentou ajudá-la, mas foi empurrado:

"Ela está morrendo!", gritou a velha. "Vá fazer alguma coisa! Retire aquela parede de cima dela!"

E começou a gritar histericamente. Elias agarrou-a pelos braços e empurrou-a para longe, porque o barulho que fazia não lhe permitia escutar os gemidos da mulher. O ambiente à sua volta era de completa destruição — teto e paredes haviam desabado, era difícil saber exatamente onde a vira pela primeira vez. As chamas já haviam diminuído, mas o calor era ainda insuportável; atravessou os destroços que cobriam o chão e foi até o lugar onde antes estivera o quarto da mulher.

Apesar de toda a confusão lá fora, conseguiu distinguir um gemido. Era a voz dela.

Instintivamente, sacudiu o pó de suas roupas, como se quisesse melhorar sua aparência. Ficou em silêncio, procurando concentrar-se. Ouviu o crepitar do fogo, o pedido de ajuda de alguns soterrados nas casas vizinhas — e tinha vontade de dizer-lhes que ficassem quietos, pois precisava saber onde estavam a mulher e seu filho. Depois de muito tempo escutou de novo o ruído; alguém arranhava a madeira que estava debaixo de seus pés.

Ajoelhou-se e começou a cavar como um louco. Removeu a terra, pedras e madeiras. Finalmente, sua mão tocou algo quente: era sangue.

"Não morra, por favor", disse.

"Deixe os destroços em cima de mim", escutou sua voz dizer. "Não quero que veja meu rosto. Vá ajudar meu filho."

Ele continuou a cavar, e a voz repetiu:

"Vá procurar o corpo de meu filho. Por favor, faça o que estou pedindo."

Elias deixou a cabeça cair contra o peito, e começou a chorar baixinho.

"Não sei onde ele está enterrado", disse ele. "Por favor, não vá; gostaria muito que ficasse comigo. Preciso que me ensine a amar, meu coração já está pronto."

"Antes que você chegasse, eu desejei a morte durante muitos anos. Ela deve ter escutado, e veio me buscar."

Ela deu um gemido. Elias mordeu os lábios, e não disse nada. Alguém tocou o seu ombro.

Assustado, virou-se e viu o garoto. Estava coberto de poeira e fuligem, mas parecia não estar ferido.

"Onde está minha mãe?", perguntou.

"Estou aqui, meu filho", respondeu a voz debaixo das ruínas. "Você está ferido?"

O menino começou a chorar. Elias abraçou-o.

"Você está chorando, meu filho", disse a voz, cada vez mais fraca. "Não faça isto. Sua mãe custou a aprender que a vida tinha um sentido; espero que tenha conseguido ensinar isto a você. Como está a cidade em que nasceu?"

Elias e o menino ficaram quietos, agarrados um ao outro.

"Está bem", mentiu Elias. "Alguns guerreiros morreram, mas os assírios já se retiraram. Estavam atrás do governador, para vingar a morte de um de seus generais."

De novo o silêncio. E de novo a voz, cada vez mais fraca.

"Conte-me que a minha cidade está salva."

Ele sentiu que ela ia partir a qualquer momento.

"A cidade está inteira. E seu filho está bem."

"E você?"

"Eu sobrevivi."

Sabia que com estas palavras estava libertando sua alma, e deixando-a morrer em paz.

"Peça ao meu filho que se ajoelhe", disse a mulher, depois de algum tempo. "E quero que você me faça um juramento, em nome do Senhor seu Deus."

"O que você quiser. Tudo que você quiser."

"Um dia você me disse que o Senhor estava em todos os lugares, e eu acreditei. Disse que as almas não iam para o alto do Monte Cinco, e também acreditei no que dizia. Mas não me explicou para onde elas iam.

"Eis o juramento: vocês não vão chorar por mim, e um cuidará do outro — até que o Senhor permita que cada um siga o seu caminho. A partir de agora, minha alma se mistura com tudo que conheci nesta terra: eu sou o vale, as montanhas em volta, a cidade, as pessoas que caminham por suas ruas. Eu sou seus feridos e seus mendigos, seus soldados, seus sacerdotes, seus comerciantes, seus nobres. Eu sou o chão que você pisa, e o poço que mata a sede de todos.

"Não chorem por mim, porque não há razão para ficarem tristes. A partir de agora, eu sou Akbar, e a cidade é linda."

O silêncio da morte chegou, e o vento parou de soprar. Elias não escutava mais os gritos lá fora, ou o fogo crepitando nas casas ao lado; ouvia apenas o silêncio, e quase podia tocá-lo, de tão intenso que era.

Então Elias afastou o menino, rasgou suas vestes e, voltando-se para os céus, bradou com toda a força de seus pulmões:

"Senhor meu Deus! Por tua causa saí de Israel, e não pude Te oferecer meu sangue, como fizeram os profetas que lá ficaram. Fui chamado de covarde por meus amigos, e de traidor pelos meus inimigos.

"Por Tua causa comi apenas o que os corvos me traziam, e cruzei o deserto até Sarepta, que seus habitantes chamavam de Akbar. Guiado por Tuas mãos, encontrei uma mulher; guiado por Ti, meu coração aprendeu a amá-la. Em nenhum momento, porém, esqueci minha verdadeira missão; durante todos os dias que passei aqui sempre estive pronto para partir.

"A bela Akbar agora não passa de ruínas, e a mulher que me confiaste jaz debaixo delas. Onde pequei, Senhor? Em que momento me afastei do que desejavas de mim? Se não estavas contente comigo, por que não me levaste deste mundo? Em vez disso, afligiste mais uma vez aqueles que me ajudaram e me amaram.

"Não entendo Teus desígnios. Não vejo justiça em Teus atos. Não sou capaz de aguentar o sofrimento que me impuseste. Afasta-Te de minha vida, porque também eu sou ruínas, fogo e poeira."

No meio do fogo e da desolação, Elias viu a luz. E o anjo do Senhor apareceu.

"O que vens fazer aqui?", perguntou Elias. "Não vês que é tarde?"

"Vim para dizer que mais uma vez o Senhor escutou a tua prece, e o que pedes te será dado. Não escutarás mais o teu anjo, e eu não voltarei a encontrar-te até que se tenham cumprido os teus dias de provação."

Elias pegou o menino pelas mãos, e começaram a caminhar sem rumo. A fumaça, que antes estava sendo dispersa pelo vento, concentrava-se agora nas ruas, tornando o ar irrespirável. "Talvez seja um sonho", pensou. "Talvez seja um pesadelo."

"Você mentiu para minha mãe", dizia o menino. "A cidade está destruída."

"Que importância tem isto? Se ela não estava vendo

o que acontecia ao seu redor, por que não deixá-la morrer feliz?"

"Porque ela confiou em você, e disse que era Akbar."

Feriu um pé nos cacos de vidro e cerâmica espalhados pelo chão; a dor mostrou que não estava num sonho, tudo à sua volta era terrivelmente real. Conseguiram chegar à praça onde — há quanto tempo atrás? — reunia-se com o povo, e ajudava-o a resolver suas disputas; o céu estava dourado com o fogo dos incêndios.

"Não quero que minha mãe seja isto que estou vendo", insistia o menino. "Você mentiu para ela."

O garoto estava conseguindo manter seu juramento; não vira uma só lágrima em seu rosto. "O que faço?", pensou. Seu pé estava sangrando, e resolveu concentrar-se na dor; ela o afastaria do desespero.

Olhou o corte que a espada do assírio fizera em seu corpo; não era tão profundo como imaginara. Sentou-se com o menino no mesmo lugar onde fora amarrado pelos inimigos, e salvo por um traidor. Reparou que as pessoas já não corriam; caminhavam lentamente de um lugar para o outro, no meio da fumaça, da poeira e das ruínas, como se fossem mortos-vivos. Pareciam almas esquecidas pelos céus, e condenadas a vagar eternamente pela Terra. Nada fazia sentido.

Alguns poucos reagiam; continuava escutando as vozes das mulheres, e algumas ordens desencontradas de soldados que haviam sobrevivido ao massacre. Mas eram poucos, e não estavam conseguindo nenhum resultado.

O sacerdote dissera uma vez que o mundo era o sonho coletivo dos deuses. E se, no fundo, ele tivesse razão? Poderia agora ajudar os deuses a despertarem deste pesadelo, e adormecê-los de novo com um sonho mais suave? Quando tinha visões noturnas, sempre acordava e voltava a dormir; por que não acontecia o mesmo com os criadores do Universo?

Tropeçava nos mortos. Nenhum deles se preocupava com impostos a pagar, assírios que acampavam no vale, rituais religiosos, ou a existência de um profeta errante, que um dia talvez lhes tivesse dirigido a palavra.

"Não posso ficar aqui o tempo todo. A herança que ela me deixou é este menino, e serei digno disto, mesmo que seja a última coisa que faça sobre a Terra."

Com esforço, levantou-se, tornou a pegá-lo pelas mãos, e recomeçaram a andar. Algumas pessoas saqueavam as lojas e tendas que tinham sido derrubadas. Pela primeira vez tentou reagir ao que acontecia, pedindo que não fizessem aquilo.

Mas as pessoas o empurravam, dizendo:

"Estamos comendo os restos daquilo que o governador devorou sozinho. Não nos atrapalhe."

Elias não tinha forças para discutir; levou o garoto para fora da cidade, e começaram a andar pelo vale. Os anjos não tornariam a vir, com suas espadas de fogo.

"Lua cheia."

Longe da poeira e da fumaça, ele podia ver a noite iluminada pelo luar. Horas antes, quando tentara deixar a cidade rumo a Jerusalém, foi capaz de encontrar seu caminho sem dificuldades; o mesmo acontecera com os assírios.

O menino tropeçou num corpo, e deu um grito. Era o sacerdote; tinha os braços e as pernas decepados, mas ainda estava vivo. Seus olhos estavam fixos no alto do Monte Cinco.

"Como você vê, os deuses fenícios vencem a batalha celestial", falou com dificuldade, mas com uma voz calma. O sangue escorria de sua boca.

"Você deve estar sofrendo", respondeu Elias. "Se você quiser, posso acabar com seu sofrimento, mesmo sem uma espada por perto."

"Deixe que os deuses me levem, porque a dor não significa nada perto da alegria por haver cumprido meu dever."

"Seu dever era destruir uma cidade de homens justos?"

"Uma cidade não morre — apenas os seus habitantes, e as ideias que carregavam com eles. Um dia, outros virão para Akbar, beberão sua água, e a pedra que seu fundador deixou será polida e cuidada por novos sacerdotes. Vá embora; minha dor terminará daqui a pouco, enquanto o seu desespero permanecerá pelo resto da vida."

O corpo mutilado respirava com dificuldade, e Elias deixou-o. Nesse instante, um grupo de pessoas — homens, mulheres e crianças — veio correndo em sua direção, e cercou-o.

"Foi você!", gritavam. "Você desonrou sua terra, e trouxe maldição para a nossa cidade!"

"Que os deuses vejam isto! Que saibam quem é o culpado!"

Os homens o empurravam, e o sacudiam pelos ombros. O menino soltou-se de suas mãos, e desapareceu. As pessoas batiam em sua face, em seu peito, em suas costas, mas ele só pensava no menino; não fora sequer capaz de mantê-lo ao seu lado.

O espancamento não demorou muito; talvez estivessem todos cansados demais com tanta violência. Elias caiu por terra.

"Saia daqui!", disse alguém. "Você pagou nosso amor com o seu ódio!"

O grupo afastou-se. Ele não tinha forças para levantar-se. Quando conseguiu recuperar-se da vergonha, já não era mais o mesmo homem. Não queria nem morrer, nem continuar vivendo. Não queria nada: não tinha amor, nem ódio, nem fé.

Acordou com alguém tocando seu rosto. Ainda era de noite, mas a lua já não estava mais no céu.

"Prometi à minha mãe que cuidaria de você", disse o garoto. "Mas não sei o que fazer."

"Volte para a cidade. As pessoas são boas, e alguém o acolherá."

"Você está ferido. Eu preciso cuidar de seu braço. Talvez um anjo apareça, e me diga o que fazer."

"Você é ignorante, não sabe nada do que está acontecendo!", gritou Elias. "Os anjos não voltarão mais, porque nós somos pessoas comuns, e todos são fracos diante do sofrimento. Quando as tragédias ocorrem, que as pessoas comuns se virem com seus próprios meios!"

Respirou fundo, e procurou acalmar-se; não adiantava ficar discutindo.

"Como você chegou até aqui?"

"Eu não fui embora."

"Então você viu a minha vergonha. Viu que não tenho mais nada que fazer em Akbar."

"Você me disse que todas as batalhas serviam para alguma coisa, mesmo aquelas em que somos derrotados."

Ele se lembrava da caminhada até o poço, na manhã anterior. Mas parecia que anos haviam-se passado desde então, e tinha vontade de dizer-lhe que as belas palavras não significam nada quando se está diante do sofrimento; mas resolveu não assustar o garoto.

"Como escapou do incêndio?"

O menino abaixou a cabeça.

"Não tinha dormido. Resolvi passar a noite em claro, para ver se você e mamãe se encontravam em seu quarto. Vi quando os primeiros soldados entraram."

Elias levantou-se e começou a andar. Procurava a rocha em frente do Monte Cinco onde, certa tarde, assistira ao pôr do sol com a mulher.

"Não devo ir", pensava. "Ficarei mais desesperado ainda."

Mas uma força o empurrava naquela direção. Quando chegou lá, chorou amargamente; assim como a cidade de Akbar, o local estava marcado por uma pedra — mas ele era o único em todo aquele vale a entender seu significado; não seria louvada por novos habitantes nem polida por casais que descobrem o sentido do amor.

Pegou o garoto em seus braços e tornou a dormir.

"Estou com sede e com fome", disse o menino para Elias, assim que acordou.

"Podemos ir à casa de uns pastores que vivem aqui perto. Não deve ter acontecido nada com eles, porque não viviam em Akbar."

"Precisamos consertar a cidade. Minha mãe disse que ela era Akbar."

Que cidade? Não havia mais palácio, nem mercado, nem muralhas. As pessoas dignas se transformaram em salteadores, e os jovens soldados tinham sido massacrados. Os anjos não voltariam mais — mas este era o menor de seus problemas.

"Você acha que a destruição, a dor, as mortes de ontem à noite tiveram um significado? Você acha que é preciso destruir milhares de vidas para ensinar o que quer que seja a alguém?"

O garoto olhou-o com cara de espanto.

"Esqueça o que eu disse", falou Elias. "Vamos procurar o pastor."

"E vamos consertar a cidade", insistiu o menino.

Elias não respondeu. Sabia que não conseguiria mais usar sua autoridade com o povo, que o acusava de haver trazido a desgraça. O governador fugira, o comandante estava morto, Tiro e Sidon possivelmente cairiam logo sob o domínio estrangeiro. Talvez a mulher estivesse certa: os deuses mudavam sempre — e desta vez era o Senhor quem havia partido.

"Quando voltaremos para lá?", perguntou de novo o menino.

Elias pegou-o pelos ombros e começou a sacudi-lo com violência.

"Olhe para trás! Você não é um anjo cego, mas um garoto que pretendia ficar vigiando o que a mãe fazia. O que está vendo? Reparou nas colunas de fumaça que sobem? Sabe o que significa isto?"

"Você está me machucando! Eu quero sair daqui, quero ir embora!"

Elias parou, assustado consigo mesmo: nunca agira daquela maneira. O menino desvencilhou-se e começou a correr em direção à cidade. Ele conseguiu alcançá-lo, e ajoelhou-se aos seus pés.

"Perdoe-me. Não sei o que estou fazendo."

O garoto soluçava, mas nem uma só lágrima corria por sua face. Ele sentou-se ao seu lado, esperando que se acalmasse.

"Não vá embora", pediu. "No momento em que sua mãe partiu, prometi que ficaria com você, até que pudesse seguir seu próprio caminho."

"Prometeu também que a cidade estava inteira. E ela disse..."

"Não precisa repetir. Estou confuso, perdido em minha própria culpa. Deixe-me encontrar comigo mesmo. Desculpe-me, não queria feri-lo."

O garoto abraçou-o. Mas nenhuma lágrima rolou de seus olhos.

Chegaram à casa no meio do vale; uma mulher estava na porta, e duas crianças pequenas brincavam em frente. O rebanho estava no cercado — significava que o pastor não havia saído para as montanhas aquela manhã.

A mulher olhou assustada para o homem e o menino que caminhavam em sua direção. Teve vontade de mandá-los embora imediatamente, mas a tradição — e os deuses — exigia que cumprisse a lei universal da hospitalidade. Se não os acolhesse agora, suas crianças podiam sofrer a mesma coisa no futuro.

"Não tenho dinheiro", disse. "Mas posso lhes dar um pouco de água e alguma comida."

Sentaram-se na pequena varanda com teto de palha, e ela trouxe frutas secas junto com um pote de água. Comeram em silêncio, experimentando — pela primeira vez desde a noite anterior — um pouco da rotina normal que viviam todos os dias. As crianças, assustadas com a aparência dos dois, tinham se refugiado dentro de casa.

Quando terminou seu prato, Elias perguntou pelo pastor.

"Chega daqui a pouco", respondeu ela. "Escutamos muito barulho, e alguém veio hoje de manhã dizendo que Akbar tinha sido destruída. Ele foi ver o que aconteceu."

As crianças a chamaram, e ela entrou.

"Não adianta tentar convencer o garoto", pensou Elias. "Ele não vai me deixar em paz até que eu faça o que pede. Preciso mostrar-lhe que é impossível, e só assim ele se convencerá."

A comida e a água provocavam o milagre; sentia-se de novo como parte do mundo.

O pensamento fluía com uma rapidez incrível, procurando soluções em vez de respostas.

Algum tempo depois o pastor chegou. Olhou com receio o homem e o menino, e ficou preocupado com a segurança de sua família. Mas logo entendeu o que estava se passando.

"Vocês devem ser refugiados de Akbar", disse. "Estou voltando de lá."

"E o que está acontecendo?", perguntou o garoto.

"A cidade foi destruída, e o governador fugiu. Os deuses desorganizaram o mundo."

"Perdemos tudo o que tínhamos", disse Elias. "Gostaríamos que o senhor nos acolhesse."

"Acho que minha mulher já os acolheu, e já os alimentou. Agora, vocês precisam partir e enfrentar o inevitável."

"Não sei o que fazer com um menino. Preciso de ajuda."

"Claro que sabe. Ele é jovem, parece inteligente, e tem energia. Você tem a experiência de quem conheceu muitas vitórias e derrotas nesta vida. É uma combinação perfeita, porque pode ajudá-lo a encontrar a sabedoria."

O homem olhou o ferimento no braço de Elias. Disse que não era grave; entrou em casa, e voltou logo depois, com algumas ervas e um pedaço de tecido. O garoto ajudou-o a colocar o medicamento no lugar. Quando o pastor disse que podia fazer aquilo sozinho, o menino disse que prometera à sua mãe cuidar daquele homem.

O pastor riu.

"Seu filho é um homem de palavra."

"Eu não sou filho dele. E ele também é um homem de palavra. Irá reconstruir a cidade, porque precisa trazer minha mãe de volta, como fez comigo."

Elias entendeu de repente a preocupação do menino, mas antes que pudesse dizer qualquer coisa o pastor gritou para dentro de casa, dizendo à mulher que estava saindo naquele momento. "E é melhor reconstruir logo a vida", disse. "Vai demorar muito para que tudo volte a ser o que era."

"Nunca voltará."

"Você tem aparência de um jovem sábio, e pode entender de muitas coisas que não compreende. Mas a natureza me ensinou algo que não esquecerei jamais: um homem depende do tempo e das estações, e só assim um pastor consegue sobreviver às coisas inevitáveis. Ele cuida de seu rebanho, trata cada animal como se fosse o único, procura ajudar as mães com as crias, jamais se afasta muito de um lugar onde os animais possam beber. Entretanto, uma vez por outra, uma das ovelhas, a quem se dedicou tanto, termina morrendo num acidente. Pode ser uma cobra, um animal selvagem ou mesmo a queda em um precipício. Mas o inevitável sempre acontece."

Elias olhou na direção de Akbar, e lembrou-se da conversa com o anjo. O inevitável sempre acontece.

"É preciso disciplina e paciência para ultrapassá-lo", disse o pastor.

"E esperança. Quando ela não existe mais, não se pode gastar as energias lutando com o impossível."

"Não se trata de esperança no futuro. Trata-se de recriar o próprio passado."

O pastor já não estava mais com pressa, seu coração enchera-se de piedade pelos refugiados à sua frente. Já que ele e sua família haviam sido poupados da tragédia, não custava ajudá-los — para agradecer aos deuses. Além do mais, já ouvira falar do profeta israelita que subira o Monte Cinco sem ser atingido pelo fogo dos céus; tudo indicava que devia ser aquele homem à sua frente.

"Podem ficar mais um dia, se quiserem."

"Não entendi o que disse antes", comentou Elias.

"Sobre recriar o próprio passado."

"Via sempre as pessoas passando por aqui, em direção a Tiro e Sidon. Algumas se queixavam que não conseguiram nada em Akbar e estavam em busca de um novo destino.

"Um dia essas pessoas retornavam. Não haviam conseguido o que estavam buscando, porque tinham carregado consigo — junto das bagagens — o peso do próprio fracasso anterior. Uma ou outra voltava com um emprego no governo, ou com a alegria de ter educado melhor os seus filhos — mas nada além disso. Porque o passado em Akbar as havia deixado temerosas, e não tinham confiança suficiente em si mesmas para arriscar muito.

"Por outro lado, também passaram diante de minha porta pessoas cheias de entusiasmo. Tinham aproveitado cada minuto de vida em Akbar, e conseguido — com muito esforço — dinheiro necessário para a viagem que queriam fazer. Para essas pessoas, a vida era uma constante vitória — e continuaria sendo.

"Essas pessoas também retornavam, mas com histórias maravilhosas. Tinham conquistado tudo o que desejavam, porque não estavam limitadas pelas frustrações do passado."

As palavras do pastor tocavam o coração de Elias.

"Não é difícil reconstruir uma vida, assim como não é impossível levantar Akbar de suas ruínas", continuou o pastor. "Basta ter consciência de que continuamos com a mesma força que tínhamos antes. E usar isto a nosso favor."

O homem encarou-o.

"Se você tem um passado que não o deixa satisfeito, esqueça-o agora", continuou. "Imagine uma nova história para a sua vida, e acredite nela. Concentre-se apenas nos momentos em que conseguiu o que desejava — e essa força irá ajudá-lo a conseguir o que quer."

"Houve um momento em que desejei ser carpinteiro, e depois quis ser um profeta enviado para a salvação de Israel", pensou. "Os anjos desciam dos céus, e o Senhor falava comigo. Até que entendi que Ele não era justo, e seus motivos sempre estarão além daquilo que posso compreender."

O pastor gritou para a mulher, dizendo que não ia partir — afinal de contas, já tinha ido a pé até Akbar, e estava com preguiça de outra caminhada.

"Obrigado por acolher-nos", disse Elias.

"Não custa abrigá-los por uma noite."

O menino interrompeu a conversa:

"Queremos voltar para Akbar."

"Esperem até amanhã. A cidade está sendo saqueada por seus próprios habitantes, e não há lugar para dormir."

O garoto olhou para o solo, mordeu os lábios, e mais uma vez resistiu ao choro. O pastor conduziu-os para dentro de casa, sossegou as crianças e a mulher, e passou o resto do dia conversando sobre o tempo, para distrair os dois.

No dia seguinte, os dois acordaram cedo, comeram uma refeição preparada pela mulher do pastor e foram até a porta da casa.

"Que sua vida seja longa, e seu rebanho cresça sempre", disse Elias. "Comi o que o meu corpo precisava, e minha alma aprendeu o que ainda não sabia. Que Deus jamais esqueça o que vocês fizeram por nós, e que seus filhos não sejam estrangeiros numa terra estranha."

"Não sei a que Deus se refere; são muitos os habitantes do Monte Cinco", disse o pastor com dureza, para logo em seguida mudar de tom. "Lembre-se das coisas boas que você fez. Elas lhe darão coragem."

"Fiz muito poucas, e nenhuma delas foi por causa de minhas qualidades."

"Então é hora de fazer mais."

"Talvez eu pudesse ter evitado a invasão."

O pastor riu.

"Mesmo que você fosse o governador de Akbar, não conseguiria deter o inevitável."

"Talvez o governador devesse ter atacado os assírios quando eles chegaram ao vale, com poucas tropas. Ou negociado a paz, antes que a guerra estourasse."

"Tudo o que podia acontecer — mas não aconteceu — termina sendo levado pelo vento, e não deixa qualquer traço", disse o pastor. "A vida é feita de nossas atitudes. *E existem certas coisas que os deuses nos obrigam a viver.* Não importa qual a razão que eles têm para isto, e não adianta fazer o possível para que passem longe de nós."

"Para quê?"

"Pergunte a um profeta israelita que vivia em Akbar. Parece que ele tem resposta para tudo."

O homem caminhou na direção do cercado.

"Preciso levar meu rebanho para o pasto", disse. "Ontem não saíram daqui, e estão impacientes."

Despediu-se com um aceno, e partiu com suas ovelhas.

O menino e o homem seguiam pelo vale.

"Você está andando devagar", dizia o garoto. "Tem medo do que pode lhe acontecer."

"Tenho medo apenas de mim", respondeu Elias. "Não podem me fazer nada, porque meu coração não existe mais."

"O Deus que me trouxe de volta da morte ainda está vivo. Ele pode trazer minha mãe de volta, se você fizer a mesma coisa com a cidade."

"Esqueça esse Deus. Ele está longe, e não faz mais os milagres que esperamos Dele."

O pastor tinha razão. A partir daquele momento era preciso reconstruir seu próprio passado, esquecer que um dia se julgara um profeta que precisava libertar Israel, mas que fracassara em sua missão de salvar uma simples cidade.

O pensamento deu-lhe uma estranha sensação de euforia. Pela primeira vez em sua vida sentiu-se livre — pronto para fazer o que bem entendesse, na hora que desejasse. Não escutaria mais anjos, é certo, mas em compensação estava livre para retornar a Israel, voltar a trabalhar como carpinteiro, viajar até a Grécia para aprender como seus sábios pensavam, ou partir junto com os navegantes fenícios para as terras do outro lado do mar.

Antes, porém, precisava vingar-se. Dedicara os melhores anos de sua juventude a um Deus surdo, que vivia dando ordens, e sempre fazendo as coisas a Seu modo. Aprendera a aceitar Suas decisões, e respeitar Seus desígnios.

Mas sua fidelidade fora retribuída com o abandono, sua dedicação fora ignorada, seus esforços para cumprir a vontade Suprema tinham resultado na morte da única mulher que amara em toda a vida.

"Tens toda a força do mundo e das estrelas", disse Elias em sua língua natal, de modo que o menino ao seu lado não entendesse o significado das palavras. "Podes destruir uma cidade, um país, como nós destruímos os insetos. Então envia o fogo do céu, e acaba com minha vida agora, porque — se não fizeres isto — irei contra a Tua obra."

Akbar surgiu à distância. Ele pegou a mão do garoto, e apertou-a com força.

"Daqui em diante, até cruzar os portões da cidade, eu caminharei de olhos fechados, e preciso que você me guie", pediu ao menino. "Se eu morrer durante a caminhada, faça o que me pediu que fizesse: reconstrua Akbar, mesmo que para isto seja preciso primeiro crescer e, depois, aprender como cortar a madeira ou talhar as pedras."

O menino não disse nada. Elias fechou os olhos, e deixou-se guiar. Escutava o barulho do vento, e o som de seus próprios passos na areia.

Lembrou-se de Moisés que — depois de libertar e conduzir o povo escolhido pelo deserto, superando enormes dificuldades — fora impedido por Deus de entrar em Canaã. Na ocasião, Moisés dissera:

"*Rogo-te que me deixes passar, para que eu veja esta boa terra além do Jordão.*"

O Senhor, porém, indignara-se com seu pedido. E dissera:

"*Basta. Não me fales mais sobre isto. Levanta teus olhos para o Ocidente, e para o Norte, e para o Sul, e para o Oriente, e contempla com teus próprios olhos, porque não passarás este Jordão.*"

Assim o Senhor retribuíra a longa e árdua tarefa de Moisés: não lhe permitira colocar os pés na Terra Prometida. O que teria acontecido se ele tivesse desobedecido?

Elias tornou a voltar seu pensamento para os céus.

"Meu Senhor, esta batalha não foi entre os assírios e os fenícios, mas entre Tu e eu. Não me avisaste de nossa guerra particular, e — como sempre — venceste e fizeste cumprir Tua vontade. Destruíste a mulher que amei e a cidade que me acolheu quando eu estava longe de minha pátria."

O vento soprou mais forte em seus ouvidos. Elias sentiu medo, mas continuou:

"Não posso trazer a mulher de volta, mas posso mudar o destino de Tua obra de destruição. Moisés aceitou Tua vontade, e não cruzou o rio. Eu, entretanto, irei adiante: mata-me neste momento, porque — se me deixares chegar até as portas da cidade — reconstruirei o que quiseste varrer da face da Terra. E irei contra a Tua decisão."

Nada mais disse. Esvaziou seu pensamento, e aguardou a morte. Durante muito tempo, concentrou-se apenas no som dos passos na areia — não queria escutar a voz de anjos, ou as ameaças do Céu. Seu coração estava livre, e não temia mais o que lhe pudesse acontecer. Entretanto,

nas profundezas de sua alma, alguma coisa começou a incomodá-lo — como se tivesse esquecido algo importante.
Longo tempo depois o menino parou, e sacudiu o braço de Elias.
"Chegamos", disse.
Ele abriu os olhos. O fogo dos céus não descera, e as muralhas destruídas de Akbar estavam à sua volta.
Olhou para o garoto que agora segurava suas mãos, como se temesse que ele pudesse escapar. Ele o amava? Não tinha ideia. Mas essas reflexões podiam ser deixadas para mais tarde; tinha agora uma tarefa a cumprir — a primeira, em muitos anos, que não lhe fora imposta por Deus.
De onde estavam, podiam sentir o cheiro de queimado. Aves de rapina voavam em círculo nos céus, esperando o momento certo para devorar os cadáveres de sentinelas que apodreciam ao sol. Elias chegou perto de um dos soldados mortos e pegou a espada em seu cinto. Na confusão da noite anterior, os assírios tinham esquecido de recolher as armas que estavam fora da cidade.
"Para que você quer isto?", perguntou o menino.
"Para me defender."
"Os assírios não estão mais aí."
"Mesmo assim, é bom carregá-la comigo. Temos que estar preparados."
Sua voz tremia. Era impossível saber o que aconteceria a partir de agora, quando cruzavam a muralha semidestruída, mas estava pronto a matar quem tentasse humilhá-lo.
"Fui destruído como esta cidade", disse para o menino. "Mas — também como esta cidade — ainda não completei minha missão."

O garoto sorriu.

"Você fala como antigamente", disse.

"Não se deixe enganar pelas palavras. Antes, eu tinha o objetivo de tirar Jezabel do trono, e devolver Israel ao Senhor, e agora que Ele nos esqueceu, nós também devemos esquecê-Lo. Minha missão é fazer o que você está me pedindo."

O menino olhou-o desconfiado.

"Sem Deus, minha mãe não retornará dos mortos."

Elias afagou-lhe a cabeça.

"Apenas o corpo de sua mãe partiu. Ela continua entre nós e — como nos disse — é Akbar. Precisamos ajudá-la a recuperar sua beleza."

A cidade estava quase deserta. Velhos, mulheres e crianças caminhavam pelas ruas — repetindo a cena que vira na noite da invasão. Pareciam não saber exatamente qual a próxima decisão a tomar.

Cada vez que cruzavam com alguém, o menino notava Elias apertando com força o punho da espada. Mas as pessoas mostravam indiferença: a maioria reconhecia o profeta de Israel, alguns o cumprimentavam com a cabeça, e ninguém lhe dirigia qualquer palavra — nem mesmo de ódio.

"Perderam até mesmo o sentimento da raiva", pensou, olhando para o alto do Monte Cinco, cujo topo continuava encoberto por suas nuvens eternas. Então se lembrou das palavras do Senhor:

"Lançarei vossos cadáveres sobre os cadáveres de vossos deuses; a minha alma se aborrecerá de vós. A vossa terra será assolada, e as vossas cidades serão desertas.

"Quanto aos que de vós ficarem, eu lhes meterei no coração tal ansiedade que o ruído de uma folha movida os perseguirá.

"E cairão sem ninguém os perseguir."

―――⋅∴⋅―――

"Eis o que fizeste, Senhor: cumpriste com Tua palavra, e os mortos-vivos continuam passeando pela Terra. E Akbar é a cidade escolhida para abrigá-los."

Os dois seguiram até a praça principal, sentaram-se sobre alguns destroços, e olharam em volta. A destruição parecia mais dura e implacável do que pensara; o teto da maioria das casas havia desabado, a sujeira e os insetos tomavam conta de tudo.

"É preciso remover os mortos", disse ele. "Ou a peste entrará na cidade por sua porta principal."

O menino mantinha os olhos baixos.

"Levante a cabeça", disse Elias. "Temos que trabalhar muito, para que sua mãe fique contente."

Mas o garoto não obedeceu; começava a compreender que em algum lugar daquelas ruínas havia um corpo que o trouxera à vida um dia — e esse corpo estava num estado parecido com o de todos os outros que se espalhavam à sua volta.

Elias não insistiu. Levantou-se, colocou um cadáver nos ombros e levou-o ao centro da praça. Não conseguia lembrar-se das recomendações do Senhor sobre o enterro dos mortos: tudo o que precisava fazer era impedir que a peste viesse, e a única saída seria incinerá-los.

Trabalhou durante toda a manhã. O menino não saiu do lugar, e não levantou os olhos por um instante, mas cumpriu o que prometera à sua mãe: nenhuma lágrima caiu no solo de Akbar.

Uma mulher parou, e ficou algum tempo olhando sua atividade.

"O homem que resolvia os problemas dos vivos agora arruma os corpos dos mortos", comentou.

"Onde estão os homens de Akbar?", perguntou Elias.

"Partiram, e levaram junto com eles o pouco que havia sobrado. Já não existe nada por que valha a pena ficar. Só não deixaram a cidade aqueles que são incapazes: os velhos, as viúvas e os órfãos."

"Mas eles estavam aqui há várias gerações. Não se pode desistir tão facilmente."

"Tente explicar isto para alguém que perdeu tudo."

"Ajude-me", disse Elias, pegando mais um corpo em seus ombros e colocando-o na pilha. "Vamos incinerá-los, para que o deus da Peste não venha nos visitar. Ele tem horror ao cheiro de carne queimando."

"Que venha o deus da Peste", disse a mulher. "E que nos leve a todos, o mais depressa possível."

Elias continuou seu trabalho. A mulher sentou-se ao lado do menino, e ficou olhando o que ele fazia. Algum tempo depois, tornou a aproximar-se.

"Por que deseja salvar uma cidade condenada?"

"Se eu parar para refletir, vou me achar incapaz de fazer o que quero", respondeu ele.

O velho pastor tinha razão: sua única saída era esquecer seu passado de incertezas e criar uma nova história para si mesmo. O antigo profeta morrera junto com uma mulher, nas chamas de sua casa; agora era um homem sem fé em Deus, e com muitas dúvidas. Mas continuava vivo, mesmo depois de desafiar as maldições divinas. Se quisesse continuar seu caminho, tinha que fazer aquilo que propunha.

A mulher escolheu um corpo mais leve e puxou-o pelos pés, levando até a pilha que Elias começara.

"Não é por medo do deus da Peste", disse ela. "Nem por Akbar, já que os assírios em breve retornarão. É pelo garoto de cabeça baixa, sentado ali adiante; ele precisa entender que ainda tem uma vida pela frente."

"Obrigado", disse Elias.

"Não me agradeça. Em algum lugar destas ruínas encontraremos o corpo do meu filho. Ele tinha mais ou menos a mesma idade do garoto."

Ela colocou a mão no rosto, e chorou copiosamente. Elias pegou-a delicadamente pelo braço.

"A dor que você e eu sentimos não irá passar nunca, mas o trabalho nos ajudará a suportá-la. O sofrimento não tem forças para ferir um corpo cansado."

Passaram o dia inteiro dedicados à tarefa macabra de recolher e empilhar os mortos; a maior parte eram jovens, que os assírios haviam identificado como parte do exército de Akbar. Mais uma vez ele reconheceu alguns amigos, e chorou — mas não interrompeu sua tarefa.

No final da tarde, estavam exaustos. Mesmo assim, o trabalho realizado estava longe de ser suficiente; e nenhum outro habitante de Akbar havia ajudado.

Os dois voltaram para junto do menino. Pela primeira vez ele levantou a cabeça.

"Tenho fome", disse.

"Vou buscar algo", respondeu a mulher. "Há bastante alimento escondido em várias casas de Akbar: as pessoas estavam se preparando para um cerco prolongado."

"Pegue alimento para mim e para você, porque cuidamos da cidade com o suor de nosso rosto", disse Elias. "Mas se este menino quiser comer, terá que cuidar de si próprio."

A mulher entendeu; teria agido da mesma maneira com o seu filho. Foi até o lugar onde antes estivera sua casa; quase tudo havia sido revirado pelos saqueadores, em busca de objetos de valor, e sua coleção de vasos, criada pelos grandes mestres vidreiros de Akbar, jazia em pedaços pelo chão. Mas ela encontrou as frutas secas e a farinha que estocara.

Voltou para a praça e dividiu parte da comida com Elias. O menino não disse nada.

Um velho aproximou-se.

"Vi que passaram o dia inteiro recolhendo os corpos", disse. "Estão perdendo tempo; não sabem que os assírios voltarão, depois de conquistarem Tiro e Sidon? Que venha o deus da Peste habitar aqui, para destruí-los."

"Não fazemos isto por eles, nem por nós", respondeu Elias. "Ela trabalha para ensinar a uma criança que ainda existe um futuro. E eu o faço para mostrar que não há mais um passado."

"O profeta não é mais uma ameaça à grande princesa de Tiro: que surpresa! Jezabel governará Israel até o final de seus dias, e sempre teremos um lugar para onde fugir, se os assírios não forem generosos com os vencidos."

Elias não disse nada. O nome que antes lhe despertava tanto ódio agora soava estranhamente distante.

"Akbar será reconstruída, de qualquer jeito", insistiu o velho. "São os deuses que escolhem os lugares onde as cidades são erguidas, e não irão abandoná-la; mas podemos deixar este trabalho para as gerações futuras."

"Podemos. Mas não vamos."

Elias deu as costas para o velho, encerrando a conversa.

Os três dormiram ao relento. A mulher abraçou o menino, e notou que sua barriga roncava de fome. Pensou em dar-lhe um pouco de comida; mas logo mudou de ideia: o cansaço físico realmente diminuía a dor, e aquele menino — que parecia estar sofrendo muito — precisava ocupar-se com algo. Talvez a fome o convencesse a trabalhar.

No dia seguinte, Elias e a mulher recomeçaram a tarefa. O velho que se aproximara na noite anterior voltou a procurá-los.

"Não tenho nada que fazer e podia ajudá-los", disse. "Mas sou fraco para carregar os corpos."

"Então junte as madeiras pequenas e os tijolos. Varra as cinzas."

O velho começou a fazer o que pediam.

Quando o sol atingiu o meio do céu, Elias sentou-se no chão, exausto. Sabia que seu anjo estava a seu lado, mas não podia mais escutá-lo. "De que adianta? Foi incapaz de ajudar-me quando precisei, e agora não quero seus conselhos; tudo que preciso fazer é deixar esta cidade em ordem, mostrar a Deus que posso ser capaz de enfrentá-Lo, e depois partir para onde desejar."

Jerusalém não era longe, apenas sete dias de caminhada, sem lugares muito difíceis para atravessar, mas ali era procurado como traidor. Talvez fosse melhor ir para Damasco, ou arranjar um emprego como escriba numa cidade grega.

Sentiu que alguém o tocava. Virou-se e viu o menino com um pequeno vaso.

"Encontrei numa das casas", disse o garoto, estendendo-o.

Estava cheio de água. Elias bebeu até o final.

"Coma alguma coisa", disse. "Você está trabalhando, e merece sua recompensa."

Pela primeira vez desde a noite da invasão um sorriso apareceu nos lábios do garoto — que saiu em disparada até o lugar onde a mulher deixara as frutas e a farinha.

Ele voltou ao trabalho; entrava nas casas destruídas, afastava os escombros, pegava os corpos, e os levava para a pilha no centro da praça. O curativo que o pastor fizera em seu braço havia caído, mas não tinha importância; precisava mostrar a si mesmo que era forte o bastante para recuperar sua dignidade.

O velho — que agora juntava o lixo espalhado pela praça — tinha razão: daqui a pouco os inimigos estariam de volta, colhendo os frutos do que não haviam plantado. Elias estava poupando trabalho aos assassinos da única mulher que amara em toda a vida — já que os assírios eram supersticiosos, e reconstruiriam Akbar de qualquer maneira. Segundo as crenças, os deuses haviam espalhado as cidades de uma maneira organizada, em harmonia com os vales, os animais, os rios, os mares. Em cada uma delas conservaram um espaço sagrado para descansar durante suas longas viagens pelo mundo. Quando uma cidade era destruída, havia sempre um grande risco de que os céus tombassem sobre a Terra.

Contava a lenda que o fundador de Akbar passara por ali, centenas de anos atrás, vindo do norte. Resolveu dormir no local e — para marcar o lugar onde havia deixado suas coisas — enfiou um pedaço de pau no solo. No dia seguinte, não conseguiu arrancá-lo, e entendeu a vontade do Universo; marcou com uma pedra o local onde o milagre tinha acontecido, e descobriu uma nascente de água perto dali. Pouco a pouco, algumas tribos foram se instalando em torno da pedra e do poço: Akbar havia nascido.

O governador lhe explicara certa vez que, segundo a tradição fenícia, toda cidade era o *terceiro ponto*, o elemento de ligação entre a vontade dos Céus e a vontade da Terra. O Universo fazia com que a semente se transformasse em planta, o chão permitia que ela se desenvolvesse, o homem a colhia e a levava para a cidade, onde consagravam aos deuses as oferendas, que depois eram deixadas nas montanhas sagradas. Mesmo sem ter viajado muito, Elias sabia que essa visão era compartilhada por muitas nações do mundo.

Os assírios tinham medo de deixar os deuses no Monte Cinco sem alimento; não desejavam acabar com o equilíbrio do Universo.

"Por que penso tudo isto, se esta é uma luta entre a minha vontade e a do meu Senhor, que me deixou sozinho no meio das tribulações?"

A mesma sensação que tivera no dia anterior — quando desafiava Deus — tornou a voltar. Estava esquecendo algo importante, e não conseguia lembrar-se, mesmo forçando a memória.

Mais um dia se passou. Já tinham recolhido a maior parte dos corpos quando uma outra mulher se aproximou.

"Não tenho o que comer", disse.

"Nem nós", respondeu Elias. "Ontem e hoje dividimos por três o que havia sido guardado para um. Veja onde pode conseguir alimento, depois me avise."

"Como vou descobrir?"

"Pergunte às crianças. Elas sabem tudo."

Desde que lhe oferecera água, o menino parecia recobrar um pouco de gosto pela vida. Elias o mandara ajudar o velho na coleta do lixo e dos destroços, mas não conseguira mantê-lo trabalhando por muito tempo; agora ele brincava com outros meninos, num dos cantos da praça.

"Melhor assim. Terá seu tempo de suor quando virar um adulto." Mas não se arrependia de tê-lo feito passar fome uma noite inteira, sob o pretexto de que precisava trabalhar; se o tivesse tratado como um pobre órfão, vítima da maldade de guerreiros assassinos, jamais teria saído da depressão em que mergulhara quando entraram na cidade. Agora pretendia deixá-lo alguns dias só, encontrando suas próprias respostas para o que tinha acontecido.

"Como é que as crianças podem saber alguma coisa?", insistiu a mulher que lhe pedira alimento.

"Veja você mesma."

A mulher e o velho que ajudavam Elias viram-na conversar com os meninos que brincavam na rua. Eles disseram alguma coisa; ela virou-se, sorriu, e desapareceu num canto da praça.

"Como você descobriu que os meninos saberiam?", perguntou o velho.

"Porque já fui menino um dia, e sei que as crianças não têm passado", disse, lembrando-se mais uma vez da conversa com o pastor. "Elas ficaram horrorizadas com a noite da invasão, mas já não se preocupam mais com isto; a cidade se transformou num imenso parque, onde podem entrar e sair de lugares sem ser incomodadas. Iam terminar por descobrir a comida que os habitantes estocaram para resistir ao cerco de Akbar.

"Uma criança sempre pode ensinar três coisas a um adulto: a ficar contente sem motivo, a estar sempre ocupado com alguma coisa e a saber exigir — com toda força — aquilo que deseja. Foi por causa deste garoto que eu voltei a Akbar."

Naquela tarde, mais alguns velhos e mulheres juntaram-se à tarefa de recolher os mortos. Os meninos afastavam as aves de rapina, e traziam pedaços de madeira e de tecido. Quando a noite desceu, Elias ateou fogo à imensa pilha de corpos. Os sobreviventes de Akbar contemplaram em silêncio a fumaça que subia aos céus.

Assim que terminou a tarefa, desmaiou de cansaço. Antes de dormir, porém, a sensação que tivera de manhã tornou a voltar: alguma coisa muito importante lutava desesperadamente para voltar à sua memória. Não era nada que tivesse aprendido durante o tempo que passara em Akbar, mas uma história antiga, que parecia dar sentido a tudo o que estava acontecendo.

Durante aquela noite um homem entrou na tenda de Jacó e lutou com ele até o nascer do dia. Vendo que não podia vencê-lo, disse-lhe:

"Deixa-me ir."

Respondeu Jacó:

"Não te deixarei ir, se não me abençoares."

Então o homem lhe disse:

"Como príncipe, lutaste com Deus. Como te chamas?"

Jacó disse o seu nome, e o homem respondeu:

"Doravante te chamarás Israel."

———⋰———

Elias acordou de um salto, e olhou o firmamento. Era esta a história que faltava!

Muito tempo atrás o patriarca Jacó acampara e — durante a noite — alguém entrou em sua tenda e lutou com ele até o sol nascer. Jacó aceitou o combate mesmo sabendo que seu adversário era o Senhor. Ao amanhecer, ainda não fora vencido; e só parou o combate quando Deus concordara em abençoá-lo.

Ela fora transmitida de geração a geração para que ninguém jamais esquecesse: *Às vezes era necessário lutar com Deus*. Todo ser humano, em algum momento, via uma tragédia cruzar sua vida; podia ser a destruição de uma cidade, a morte de um filho, uma acusação sem provas, uma doença que os deixava inválidos para sempre. Nesse momento, Deus o desafiava a enfrentá-Lo, e a responder Sua pergunta: "Por que te agarras tanto a uma existência tão curta e tão cheia de sofrimento? Qual o sentido de tua luta?".

Então o homem que não sabia responder a essa pergunta se conformava. Enquanto o outro, que buscava um sentido para a existência, achava que Deus tinha sido injusto, e ia desafiar o próprio destino. Era nesse momento que um outro fogo dos céus descia — não aquele que mata, mas o que destrói as antigas muralhas, e dá a cada ser humano suas verdadeiras possibilidades. Os covardes nunca deixam que seu coração seja incendiado por esse fogo — tudo o que desejam é que a situação nova volte rapidamente a ser o que era antes, para que possam continuar vivendo e pensando da maneira a que estavam acostumados. Os valentes, porém, ateiam fogo ao que era velho, e — mesmo à custa de um grande sofrimento interior — abandonam tudo, inclusive a Deus, e seguem adiante.

"Os valentes sempre são teimosos."

Do céu, o Senhor sorri de contentamento — porque era isto que Ele queria, que cada um tivesse em suas mãos a responsabilidade de sua própria vida. Afinal, dera aos seus filhos o maior de todos os dons: a capacidade de escolher e decidir os seus atos.

Só os homens e as mulheres com a sagrada chama no coração tinham coragem de enfrentá-Lo. E só estes conheciam o caminho de volta até o Seu amor, pois entendiam finalmente que a tragédia não era uma punição, mas um desafio.

Elias reviu cada um de seus passos; desde que deixara a carpintaria, aceitara sua missão sem discutir. Mesmo que ela fosse verdadeira — e ele achava que era —, jamais tivera a oportunidade de ver o que acontecia nos caminhos que se recusara a percorrer. Porque tinha medo de perder sua fé, sua dedicação, sua vontade. Considerava que era muito arriscado experimentar o caminho das pessoas comuns — podia terminar se acostumando, e gostando do que via. Não entendia que também ele era uma pessoa igual a todas as outras, embora escutasse anjos e recebesse de vez em quando ordens de Deus; estava tão convencido de saber o que queria que se comportara da mesma maneira como aqueles que nunca tomaram uma decisão importante na vida.

Fugira da dúvida. Da derrota. Dos momentos de indecisão. Mas o Senhor era generoso, e o conduzira ao abismo do inevitável para mostrar-lhe que o homem precisa *escolher* — e não *aceitar* — o seu destino.

Há muitos e muitos anos, numa noite igual a esta, Jacó não deixara que Deus partisse antes de abençoá-lo. Fora quando o Senhor perguntara: *"Como te chamas?"*.

Esta era a questão: ter um nome. Quando Jacó respondera, Deus o batizara de *Israel*. Cada um tem um nome de berço, mas precisa aprender a batizar sua vida com a palavra que escolheu para dar um sentido a ela.

"Eu sou *Akbar*", dissera ela.

Foram necessárias a destruição da cidade e a perda da mulher amada para que Elias entendesse que precisava de um nome. E naquele mesmo instante chamou sua vida de *Libertação*.

Levantou-se e olhou para a praça à sua frente: a fumaça ainda subia das cinzas daqueles que perderam suas vidas. Ao atear fogo àqueles corpos, tinha desafiado um costume muito antigo de seu país, que exigia que as pessoas fossem enterradas segundo os ritos. Lutara com Deus e a tradição ao decidir-se pela incineração, mas sentia que não havia pecado quando era preciso uma nova solução para um problema novo. Deus era infinito em sua misericórdia — e implacável em seu rigor com aqueles que não têm coragem de ousar.

Tornou a olhar para a praça: alguns dos sobreviventes ainda não tinham dormido, e mantinham os olhos fixos nas chamas — como se aquele fogo estivesse consumindo também suas lembranças, seu passado, os duzentos anos de paz e inércia de Akbar. O tempo do medo e da espera havia terminado: agora sobrava apenas a reconstrução ou a derrota.

Como Elias, eles também podiam escolher um nome para si mesmos. *Reconciliar, Sabedoria, Amante, Peregrino*, eram tantas as escolhas como o número de estrelas no céu, mas cada um precisava dar um nome à sua vida.

Elias levantou-se e rezou:

"Lutei contra Ti, Senhor, e não me envergonho. E por isso descobri que estou no meu caminho porque assim desejo, não porque me foi imposto por meus pais, pelas tradições de minha terra, ou por Ti mesmo.

"A Ti, Senhor, eu gostaria de retornar neste instante. Quero louvar-Te com a força da minha vontade, e não com a covardia de quem não soube escolher um caminho diferente. Entretanto, para que me confies Tua importante missão, preciso continuar nesta batalha contra Ti, até que me abençoes."

Reconstruir Akbar. O que Elias julgava ser um desafio a Deus era, na verdade, seu reencontro com Ele.

A mulher que perguntara sobre a comida tornou a aparecer na manhã seguinte. Vinha acompanhada de outras mulheres.

"Descobrimos vários depósitos", disse. "Como muita gente morreu — e muita gente fugiu junto com o governador —, temos alimento para viver durante um ano."

"Arranje pessoas mais velhas para supervisionar a distribuição dos alimentos", disse ele. "Elas têm experiência de organização."

"Os velhos não têm vontade de viver."

"Peça que venham, de qualquer maneira."

A mulher se preparava para partir quando Elias a interrompeu.

"Você sabe escrever usando letras?"

"Não."

"Eu aprendi, e posso ensiná-la. Vai precisar disto para me ajudar a administrar a cidade."

"Mas os assírios vão voltar."

"Quando chegarem, precisarão de nossa ajuda para administrar a cidade."

"Por que fazer isto pelo inimigo?"

"Faço isto para que cada um possa dar um nome à

sua vida. O inimigo é apenas um pretexto para testar nossa força."

Os velhos vieram — como ele havia previsto.

"Akbar precisa da ajuda de vocês", disse Elias. "E, diante disso, não se podem dar ao luxo de serem velhos; estamos precisando da juventude que vocês perderam."

"Não sabemos onde encontrá-la", respondeu um deles. "Ela desapareceu atrás das rugas e das desilusões."

"Não é verdade. Vocês nunca tiveram ilusões, e isto é que fez com que a juventude se escondesse. Agora é o momento de buscá-la, já que temos um sonho comum: reconstruir Akbar."

"Como podemos fazer algo impossível?"

"Com entusiasmo."

Os olhos escondidos pela tristeza e pelo desânimo queriam brilhar de novo. Já não eram mais os inúteis habitantes que iam assistir aos julgamentos, em busca de um assunto para conversar no final da tarde; tinham agora uma importante missão pela frente, eram necessários.

Os mais resistentes separaram o material ainda aproveitável das casas que tinham sido muito danificadas, e o utilizaram para recuperar as que ainda continuavam de pé. Os mais idosos ajudaram a espalhar pelos campos a cinza dos corpos que haviam sido incinerados, para que os mortos da cidade pudessem ser lembrados na próxima colheita; outros se incumbiram de separar os grãos estocados desordenadamente por toda a cidade, fazer o pão e tirar a água do poço.

Duas noites depois, Elias reuniu todos os habitantes na praça — agora limpa da maior parte dos destroços. Alguns archotes foram acesos, e ele começou a falar.

"Não temos escolha", disse. "Podemos deixar que o estrangeiro faça este trabalho; mas isto significa também que renunciamos à única chance que uma tragédia nos dá: a de reconstruir nossa vida.

"As cinzas dos mortos, que incineramos alguns dias atrás, vão se transformar nas plantas que tornarão a nascer na primavera. O filho que foi perdido na noite da invasão se transformou nas muitas crianças que correm livres pelas ruas destruídas, e se divertem invadindo lugares proibidos e casas que nunca conheceram. Até este momento, apenas as crianças foram capazes de superar o que houve, porque não têm um passado — tudo o que conta é o momento presente. Procuraremos, então, agir como elas."

"Pode um homem apagar do coração a dor de uma perda?", perguntou uma mulher.

"Não. Mas pode alegrar-se com um ganho."

Elias virou-se, e apontou para o topo do Monte Cinco, sempre coberto de nuvens. A destruição das muralhas fizera com que ele fosse visível do centro da praça.

"Eu acredito num Senhor único, mas vocês pensam que os deuses habitam naquelas nuvens, o alto do Monte Cinco. Não quero agora discutir se meu Deus é mais forte ou mais poderoso; não quero falar de nossas diferenças, mas de nossas semelhanças. A tragédia nos levou a um sentimento comum: o desespero. Por que isto aconteceu? Porque achávamos que tudo já estava respondido e resolvido em nossas almas — e não podíamos aceitar qualquer mudança.

"Tanto vocês como eu pertencemos a nações comerciantes, mas também sabemos nos comportar como guerreiros", continuou ele. "E um guerreiro é sempre consciente daquilo por que vale a pena lutar. Não entra em combates que não interessam, e nunca perde seu tempo com provocações.

"Um guerreiro aceita a derrota. Não a trata como algo indiferente, nem tenta transformá-la em vitória. Ele amarga a dor da perda, sofre com a indiferença, e fica desesperado com a solidão. Depois que passa por tudo isto, lambe suas feridas e recomeça tudo de novo. Um guerreiro sabe que a guerra é composta de muitas batalhas; ele segue adiante.

"Tragédias acontecem. Podemos descobrir a razão, culpar os outros, imaginar como teriam sido diferentes nossas vidas sem elas. Mas nada disto tem importância: elas já aconteceram, e pronto. A partir daí precisamos esquecer o medo que elas nos provocam, e dar início à reconstrução.

"Cada um de vocês dará um novo nome a si mesmo, a partir de agora. Este será o nome sagrado, que sintetiza em uma palavra tudo aquilo pelo que sonharam lutar. Para meu nome, escolhi *Libertação*."

A praça ficou em silêncio por algum tempo. Então, a mulher que primeiro ajudara Elias levantou-se.

"Meu nome é *Reencontro*", disse.

"Meu nome é *Sabedoria*", falou um velho.

O filho da viúva que Elias tanto amara gritou:

"Meu nome é *Alfabeto*."

As pessoas na praça caíram na gargalhada. O menino, envergonhado, tornou a sentar-se.

"Como alguém pode chamar-se *Alfabeto*?", gritou outro menino.

Elias podia interferir, mas era bom que o garoto aprendesse a se defender sozinho.

"Porque era isto que minha mãe fazia", disse o garoto. "Sempre que olhar as letras desenhadas, vou me lembrar dela."

Dessa vez ninguém riu. Um a um, os órfãos, as viúvas e os velhos de Akbar foram dizendo seus nomes e suas novas identidades. Quando a cerimônia terminou, Elias pediu que todos dormissem cedo: precisavam recomeçar o trabalho na manhã seguinte.

Pegou o menino pela mão, e os dois foram para o local da praça onde haviam estendido alguns tecidos em forma de tenda.

A partir daquela noite, começou a ensinar-lhe a escrita de Biblos.

Os dias se transformaram em semanas, e Akbar ia mudando sua face. O garoto aprendeu a desenhar as letras rapidamente, e já conseguia criar palavras que faziam sentido; Elias encarregou-o de escrever em tabletes de barro a história da reconstrução da cidade.

As placas de barro eram cozidas num forno improvisado, transformadas em cerâmica e arquivadas cuidadosamente por um casal de idosos. Nas reuniões no final de cada tarde ele pedia para que os velhos contassem o que tinham visto na infância, e registrava o máximo de histórias.

"Guardaremos a memória de Akbar num material que o fogo não pode destruir", explicava. "Algum dia, nossos filhos e netos saberão que a derrota não foi aceita, e que o inevitável foi ultrapassado. Isto pode servir de exemplo para eles."

Toda noite, depois dos estudos com o garoto, Elias caminhava pela cidade deserta, ia até o começo da estrada que conduzia até Jerusalém, pensava em partir, e desistia.

O trabalho pesado obrigava-o a concentrar-se no momento presente. Sabia que os habitantes de Akbar contavam com ele para a reconstrução; já os decepcionara uma vez, quando fora incapaz de impedir a morte do espião — e evitar a guerra. Mas Deus sempre dá uma segunda chance aos seus filhos, e precisava aproveitar a nova oportunidade. Além disso, afeiçoava-se cada vez mais ao menino, e procurava ensinar-lhe não apenas os caracteres de Biblos, mas a fé no Senhor e a sabedoria dos seus ancestrais.

Mesmo assim não esquecia que em sua terra reinava uma princesa e um deus estrangeiro. Não havia mais anjos com espadas de fogo; estava livre para partir à hora que quisesse, e fazer o que bem entendesse.

Todas as noites ele pensava em ir embora. E todas as noites ele levantava as mãos para o céu e orava:

"Jacó lutou durante a madrugada inteira, e foi abençoado ao amanhecer. Eu tenho lutado contra Ti por dias, por meses, e Te recusas a me escutar. Se olhares à Tua volta, porém, saberás que estou vencendo: Akbar sobe de suas ruínas, e torno a reconstruir o que Tu, usando as espadas dos assírios, transformaste em cinzas e pó.

"Lutarei Contigo até que me abençoes, e abençoes os frutos do meu trabalho. Um dia terás que me responder."

Mulheres e crianças carregavam água para o campo, e lutavam contra a seca que parecia não acabar nunca. Um dia, quando o sol inclemente brilhava com toda a sua força, Elias escutou alguém comentar:

"Trabalhamos sem parar, já não lembramos mais as dores daquela noite, e esquecemos mesmo que os assírios retornarão assim que terminarem de saquear Tiro, Sidon, Biblos e toda a Fenícia. Isto nos fez bem.

"Entretanto, porque estamos muito concentrados na reconstrução da cidade, parece que tudo continua igual; não vemos o resultado de nosso esforço."

Elias refletiu algum tempo sobre o comentário. E passou a exigir que, no final de cada dia de trabalho, as pessoas se reunissem no pé do Monte Cinco — para contemplarem juntas o pôr do sol.

Estavam geralmente tão cansados que quase não trocavam palavra, mas descobriam como era importante deixar o pensamento vagar sem rumo, como as nuvens do céu. Dessa maneira a ansiedade fugia do coração de todos, e conseguiam recuperar inspiração e força para o dia seguinte.

Elias acordou dizendo que não ia trabalhar.

"Hoje, na minha terra, comemoram o Dia do Perdão."

"Não há pecado em sua alma", comentou uma mulher. "Você tem feito o melhor possível."

"Mas a tradição precisa ser mantida. E eu a cumprirei."

As mulheres partiram levando água para os campos, os velhos voltaram à sua tarefa de erguer as paredes e trabalhar a madeira das portas e janelas. As crianças ajudavam a moldar os pequenos tijolos de barro, que mais tarde seriam cozidos no fogo. Elias contemplou-os com uma imensa alegria no coração. Em seguida, deixou Akbar e dirigiu-se ao vale.

Caminhou sem rumo, fazendo as preces que aprendera na infância. O sol ainda não se levantara completamente, e — da posição onde estava — ele via a gigantesca sombra do Monte Cinco cobrindo parte do vale. Teve um pressentimento horrível: aquela luta entre o Deus de Israel e o deus dos fenícios ainda ia se prolongar por muitas gerações — e muitos milênios.

Lembrou-se de que certa noite ele subira até o topo da montanha e conversara com um anjo; desde que Akbar fora destruída, porém, ele nunca mais tinha escutado as vozes que vinham do céu.

"Senhor, hoje é o Dia do Perdão, e tenho uma longa lista de pecados para Contigo", disse, virando-se em direção a Jerusalém. "Fui fraco, porque me esqueci de minha própria força. Fui compassivo, quando precisava ser duro. Não escolhi, por medo de tomar decisões erradas. Desisti antes da hora, e blasfemei quando devia agradecer.

"Entretanto, Senhor, tenho também uma longa lista de Teus pecados para comigo. Me fizeste sofrer além da conta, levando deste mundo alguém que eu amava. Destruíste a cidade que me acolheu, confundiste minha busca, Tua dureza quase me fez esquecer o amor que tenho por Ti. Durante todo este tempo tenho lutado Contigo, e não aceitas a dignidade de meu combate.

"Se compararmos a lista dos meus pecados com a lista dos Teus pecados, verás que estás me devendo. Mas — como hoje é o Dia do Perdão — Tu me perdoas e eu Te perdoo, para que possamos continuar caminhando juntos."

Neste momento, o vento soprou, e ele sentiu que seu anjo lhe falava:

"Fizeste bem, Elias. Deus aceitou teu combate."

Lágrimas rolaram de seus olhos. Ele ajoelhou-se e beijou o chão árido do vale.

"Obrigado por teres vindo, porque continuo com uma dúvida: não é pecado fazer isto?"

Disse o anjo:

"Quando um guerreiro luta com o seu instrutor, ele o está ofendendo?"

"Não. É a única maneira de aprender a técnica de que precisa."

"Então continua, até que o Senhor te chame de volta a Israel", disse o anjo. "Levanta-te, e continua provando que tua luta tem um sentido, porque soubeste cruzar a correnteza do Inevitável. Muitos navegam por ela, e naufragam; outros são arrastados até lugares que não lhes estavam destinados. Mas tu enfrentas a travessia com dignidade, soubeste controlar o rumo do teu barco, e tentas transformar a dor em ação."

"Pena que tu sejas cego", disse Elias. "Senão verias como os órfãos, as viúvas e os velhos foram capazes de reconstruir uma cidade. Em breve, tudo voltará a ser como antes."

"Espero que não", disse o anjo. "Afinal, pagaram um alto preço para que suas vidas mudassem."

Elias sorriu. O anjo tinha razão.

"Espero que te comportes como os homens que estão diante de uma segunda chance: não cometas o mesmo erro duas vezes. Nunca te esqueças da razão de tua vida."

"Não esquecerei", respondeu ele, contente porque o anjo voltara.

As caravanas não passavam mais pelo vale; os assírios deviam ter destruído as estradas, e mudado as rotas comerciais. Todos os dias, algumas crianças subiam na única torre da muralha que escapara da destruição: estavam encarregadas de vigiar o horizonte, e avisar sobre a volta dos guerreiros inimigos. Elias planejava recebê-los com dignidade, e entregar-lhes o comando.

Então, poderia partir.

Mas, a cada dia que passava, sentia que Akbar fazia mais parte de sua vida. Talvez sua missão não fosse tirar Jezabel do trono, e sim estar ali com aquela gente, o resto de sua vida, cumprindo o humilde papel de servo do conquistador assírio. Ajudaria a restabelecer as rotas comerciais, aprenderia a língua do inimigo e — no seu tempo de descanso — poderia cuidar da biblioteca que estava cada vez mais completa.

O que — numa noite qualquer, já perdida no tempo — parecera o fim de uma cidade significava agora a possibilidade de torná-la mais bela. Os trabalhos de reconstrução incluíam a ampliação das ruas, a colocação de tetos mais resistentes e um engenhoso sistema de levar a água do poço até os lugares mais distantes. Também sua alma estava se renovando; a cada dia aprendia algo novo com os velhos, as crianças e as mulheres. Aquele grupo — que não abandonara Akbar pela absoluta impossibilidade de fazê-lo — era agora uma equipe disciplinada e competente.

"Se o governador soubesse que ajudavam tanto, teria criado um outro tipo de defesa, e Akbar não seria destruída."

Elias pensou um pouco, e viu que estava errado. Akbar precisava ter sido destruída, para que todos pudessem despertar em si as forças que dormiam.

Meses se passaram, e os assírios não davam sinais de vida. Akbar agora estava quase pronta, e Elias podia pensar no futuro; as mulheres agora recuperavam os pedaços de tecido, e faziam novas roupas com eles. Os velhos reorganizavam as moradias, e cuidavam da higiene da cidade. As crianças ajudavam quando solicitadas, mas geralmente passavam o dia a brincar: esta é a principal obrigação das crianças.

Ele vivia com o garoto numa pequena casa de pedra, reconstruída no terreno do que outrora fora um depósito de mercadorias. Toda noite os habitantes de Akbar sentavam-se em torno de uma fogueira na praça principal, e contavam histórias que haviam escutado durante a vida; junto com o menino, ele anotava tudo nos tabletes — que coziam no dia seguinte. A biblioteca crescia a olhos vistos.

A mulher que perdera seu filho também aprendia os caracteres de Biblos. Quando viu que já sabia criar palavras e frases, encarregou-a de ensinar o alfabeto ao resto da população; dessa maneira, quando os assírios voltassem, eles poderiam ser utilizados como intérpretes ou professores.

"Era justamente isto que o sacerdote queria evitar", disse certa tarde um velho que chamara a si mesmo de Oceano, pois desejava ter a alma grande como o mar. "Que a escrita de Biblos sobrevivesse, e ameaçasse os deuses do Monte Cinco."

"Quem pode evitar o inevitável?", respondeu ele.

As pessoas trabalhavam de dia, assistiam ao pôr do sol juntas e contavam histórias durante a noite.

Elias estava orgulhoso de sua obra. E apaixonava-se cada vez mais por ela.

Uma das crianças encarregadas da vigilância desceu correndo.

"Vi poeira no horizonte!", disse excitada. "O inimigo está voltando!"

Elias subiu na torre, e viu que a informação estava correta. Calculou que deviam chegar às portas de Akbar no dia seguinte.

Naquela tarde, avisou os habitantes que não deveriam ir assistir ao pôr do sol, mas encontrar-se na praça. Quando o trabalho do dia terminou, ele encontrou o grupo reunido, e notou que estavam com medo.

"Hoje não contaremos histórias sobre o passado, e não falaremos dos planos futuros de Akbar", disse ele. "Vamos conversar sobre nós mesmos."

Ninguém disse uma palavra.

"Algum tempo atrás, uma lua cheia brilhou no céu. Nesse dia, aconteceu o que todos estávamos pressentindo, mas não queríamos aceitar: Akbar foi destruída.

Quando o exército assírio partiu, nossos melhores homens estavam mortos. Os que tinham escapado viram que não valia a pena ficar aqui, e resolveram ir embora. Restaram apenas os velhos, as viúvas e os órfãos; ou seja, os inúteis.

"Olhem em volta; a praça está mais bela que nunca, os prédios são mais sólidos, o alimento é dividido, e todos estão aprendendo a escrita inventada em Biblos. Em algum lugar desta cidade está uma coleção de tabletes onde escrevemos nossas histórias, e as gerações futuras se lembrarão do que fizemos.

"Hoje nós sabemos que também os velhos, os órfãos e as viúvas partiram. Deixaram em seu lugar um bando de jovens de todas as idades, cheios de entusiasmo, que deram nome e sentido às suas vidas.

"Em cada momento da reconstrução, sabíamos que os assírios iam voltar. Sabíamos que um dia teríamos que entregar nossa cidade para eles e — junto com a cidade — os nossos esforços, o nosso suor, a nossa alegria de vê-la mais bela que antes."

A luz da fogueira iluminou algumas lágrimas que desciam do rosto das pessoas. Mesmo as crianças, que costumavam brincar durante os encontros noturnos, estavam prestando atenção ao que ele dizia. Elias continuou:

"Isto não importa. Cumprimos nosso dever com o Senhor, porque aceitamos o Seu desafio e a honra de Sua luta. Antes daquela noite, Ele insistia conosco, dizendo: *Caminha!* Mas não o escutávamos. Por quê?

"Porque cada um de nós tinha decidido seu próprio futuro: eu pensava em tirar Jezabel do trono, a mulher que agora se chama *Reencontro* queria que seu filho fosse navegante, o homem que hoje carrega o nome de *Sabedoria* desejava apenas passar o resto de seus dias tomando vinho na praça. Estávamos habituados com o mistério sagrado da vida, e não lhe dávamos mais importância.

"Então o Senhor pensou consigo mesmo: *Eles não querem caminhar? Pois então vão ficar parados por muito tempo!*

"E só aí entendemos sua mensagem. O aço da espada assíria levou nossos jovens, e a covardia levou nossos adultos. Estejam onde estiverem a esta hora, ainda continuam parados; aceitaram a maldição de Deus.

"Nós, porém, lutamos contra o Senhor. Assim como lutamos com as mulheres e os homens que amamos durante a vida, porque é este combate que nos abençoa, e nos faz crescer. Aproveitamos a oportunidade da tragédia, e cumprimos nosso dever para com Ele, provando que éramos capazes de obedecer à ordem de *caminhar*. Mesmo nas piores circunstâncias, seguimos adiante.

"Há momentos em que Deus exige obediência. Mas há momentos em que deseja testar nossa vontade, e nos desafia a entender Seu amor. Nós entendemos esta vontade quando as muralhas de Akbar caíram por terra: elas abriram o nosso próprio horizonte, e deixaram que cada um de nós visse do que era capaz. Paramos de pensar sobre a vida, e resolvemos vivê-la.

"O resultado foi bom."

Elias notou que os olhos das pessoas tornavam a brilhar. Elas haviam compreendido.

"Amanhã vou entregar Akbar sem luta; estou livre para partir quando quiser, porque cumpri o que o Senhor esperava de mim. Entretanto, meu sangue, meu suor e meu único amor estão no chão desta cidade, e resolvi ficar aqui o resto dos meus dias, para evitar que seja novamente destruída. Cada um tome a decisão que desejar, mas nunca se esqueçam de uma coisa: vocês são muito melhores do que pensavam.

"Aproveitaram a chance que a tragédia lhes deu; nem todo mundo é capaz de fazer isto."

Elias levantou-se, e deu a reunião por encerrada. Avisou ao menino que iria voltar tarde, e mandou que fosse para a cama sem esperá-lo.

Foi até o templo — único lugar que escapara da destruição, e que não precisaram reconstruir, embora as estátuas dos deuses tenham sido levadas pelos assírios. Com todo respeito, tocou a pedra que marcava o lugar onde — segundo a tradição — um ancestral cravara uma vareta no solo e não conseguira retirá-la.

Pensou que, em seu país, lugares como aquele estavam sendo erigidos por Jezabel, e parte de seu povo prostrava-se para adorar Baal e suas divindades. De novo o mesmo pressentimento cruzou sua alma; a guerra entre o Senhor de Israel e o deus dos fenícios duraria muito tempo, além do que sua imaginação poderia alcançar. Como numa visão, enxergou estrelas que cruzavam o Sol, e despejavam em cada um dos dois países a destruição e a morte. Homens que falavam línguas estranhas cavalgavam animais de aço, e duelavam entre si no meio das nuvens.

"Não é isto que deves ver agora, porque o tempo ainda não chegou", escutou seu anjo dizer. "Olha através da janela."

Elias fez o que lhe fora ordenado. Do lado de fora, a lua cheia iluminava as casas e as ruas de Akbar e — mesmo já sendo tarde — ele podia escutar conversas e risos de seus habitantes. Mesmo diante da volta dos assírios, aquele povo continuava com vontade de viver e pronto para enfrentar uma nova etapa em suas vidas.

Então viu um vulto, e sabia que era a mulher que tanto amara, e que agora tornava a caminhar orgulhosa pela sua cidade. Ele sorriu, e sentiu que ela o tocava no rosto.

"Estou orgulhosa", parecia dizer. "Akbar realmente continua linda."

Sentiu vontade de chorar, mas lembrou-se do menino, que jamais derramara uma lágrima por sua mãe. Controlou o pranto, e relembrou as partes mais belas da história que viveram juntos — desde o encontro nas portas da cidade até o instante em que ela escrevera a palavra "amor" num tablete de barro. Reviu seu vestido, seus cabelos, os traços finos do seu nariz.

"Você me disse que era Akbar. Pois eu cuidei de você, curei-a de suas feridas, e agora a devolvo para a vida. Que seja feliz junto com seus novos companheiros.

"Eu queria lhe dizer uma coisa: eu também era Akbar, e não sabia."

Sabia que ela estava sorrindo.

"O vento do deserto, há muito tempo, já apagou nossos passos na areia. Mas, a cada segundo de minha existência, eu relembro o que aconteceu, e você continua caminhando nos meus sonhos e na minha realidade. Obrigado por ter cruzado o meu caminho."

Dormiu ali mesmo no templo, sentindo que a mulher lhe acariciava os cabelos.

O chefe dos mercadores viu um grupo de maltrapilhos na estrada. Pensou que eram salteadores, e pediu que todos pegassem suas armas.

"Quem são vocês?", perguntou.

"Somos o povo de Akbar", respondeu um homem barbudo, com os olhos brilhantes. O chefe da caravana notou que ele falava com um sotaque estrangeiro.

"Akbar foi destruída. Somos encarregados pelos governos de Tiro e Sidon de localizar seu poço, para que as caravanas possam de novo passar por este vale. As comunicações com o resto da terra não podem continuar interrompidas para sempre."

"Akbar ainda existe", continuou o homem. "Onde estão os assírios?"

"O mundo inteiro sabe onde eles estão", riu o chefe da caravana. "Tornando o solo de nosso país mais fértil. E alimentando nossos pássaros e animais selvagens há muito tempo."

"Mas eles eram um exército poderoso."

"Não existe poder num exército se conseguimos saber quando ele vai atacar. Akbar mandou avisar que eles se aproximavam, e Tiro e Sidon armaram uma emboscada no final do vale. Quem não morreu durante a luta foi vendido como escravo por nossos navegadores."

As pessoas andrajosas davam vivas e abraçavam-se umas às outras, chorando e rindo ao mesmo tempo.

"Quem são vocês?", insistiu o mercador. "Quem é você?", perguntou, apontando para o líder.

"Somos os jovens guerreiros de Akbar", foi a resposta.

A terceira colheita começara, e Elias era o governador de Akbar. Houvera muita resistência no início — o antigo governador queria voltar e ocupar seu posto, porque assim mandava a tradição. Os habitantes da cidade, porém, recusaram-se a recebê-lo, e durante dias ameaçaram envenenar a água do poço; a autoridade fenícia finalmente cedera às suas demandas — afinal de contas, Akbar não tinha tanta importância além da água que fornecia aos viajantes, e o governo de Israel estava nas mãos de uma princesa de Tiro. Concedendo o posto de governador a um israelita, os governantes fenícios podiam começar a consolidar uma aliança comercial mais sólida.

A notícia correu por toda a região, levada pelas caravanas de mercadores que tinham voltado a circular. Uma minoria em Israel considerava Elias o pior dos traidores, mas — no seu devido tempo — Jezabel se encarregaria de eliminar essa resistência, e a paz voltaria à região. A princesa estava contente, porque um dos seus piores inimigos tornara-se finalmente o melhor aliado.

Rumores de uma nova invasão assíria recomeçaram a surgir, e as muralhas de Akbar foram reerguidas. Um novo sistema de defesa foi desenvolvido, com sentinelas e guarnições espalhadas entre Tiro e Akbar; dessa maneira, no caso de cerco de uma das cidades, a outra podia deslocar os exércitos por terra, e assegurar a entrada de alimentos pelo mar.

A região prosperava a olhos vistos: o novo governador israelita desenvolvera um rigoroso sistema de controles de taxas e mercadorias, baseado na escrita. Os velhos de Akbar cuidavam de tudo, utilizavam novas técnicas de fiscalização, e resolviam pacientemente os problemas que surgiam.

As mulheres dividiam seu tempo entre a lavoura e a tecelagem. Durante o período de isolamento, para recuperar o pouco tecido que havia sobrado, tinham sido obrigadas a criar novos padrões de bordados; quando os primeiros mercadores chegaram à cidade, ficaram encantados com os desenhos, e fizeram várias encomendas.

As crianças tinham aprendido a escrita de Biblos; Elias estava certo de que isso poderia lhes ajudar um dia.

Como sempre fazia antes da colheita, ele passeava pelo campo aquela tarde, agradecendo ao Senhor pelas inúmeras bênçãos que recebera durante todos esses anos. Viu as pessoas com os cestos carregados de grãos, as crianças brincando em volta. Acenou para elas, e foi retribuído.

Com um sorriso no rosto, dirigiu-se para a pedra onde, muito tempo atrás, recebera um tablete de barro com a palavra "amor". Costumava visitar todos os dias aquele lugar, para assistir ao pôr do sol, e relembrar cada instante que tinham passado juntos.

Diz a Bíblia:

"Veio a palavra do Senhor a Elias no terceiro ano, dizendo:

"'Vai, apresenta-te a Acabe (marido de Jezabel), porque darei chuva sobre a terra.'"

———✧———

Na pedra onde estava sentado, Elias viu o mundo sacudir à sua volta. O céu tornou-se negro por um instante, mas logo o sol voltou a brilhar.

Viu a luz. Um anjo do Senhor estava à sua frente.

"O que houve?", disse Elias assustado. "Deus perdoou Israel?"

"Não", respondeu o anjo. "Ele quer que você volte para libertar Seu povo. Sua luta com Ele está terminada, e — neste momento — Ele te abençoou. Deu-te permissão para continuar o Seu trabalho nesta terra."

Elias estava aturdido.

"Mas agora, justamente quando meu coração tornara a encontrar a paz?"

"Lembra-te da lição que já te foi ensinada uma vez", disse o anjo. "E lembra-te das palavras do Senhor para Moisés:

"*Recorda-te do caminho pelo qual o Senhor te guiou, para te humilhar, para te provar, para saber o que estava no teu coração.*

"*Para que não suceda que depois de teres comido, e estiveres farto, depois de haveres edificado boas casas e morado nelas, depois de se multiplicarem o seu gado e o seu rebanho, eleve o teu coração e te esqueças do Senhor teu Deus.*"

Elias virou-se para o anjo:

"E Akbar?", perguntou.

"Pode viver sem ti, porque deixaste um herdeiro. Ela sobreviverá por muito tempo."

O anjo do Senhor desapareceu.

Elias e o menino chegaram ao pé do Monte Cinco. O mato havia crescido entre as pedras dos altares; desde a morte do sacerdote, ninguém aparecia por ali.

"Vamos subir", disse.

"É proibido."

"Sim, é proibido. Mas isso não quer dizer que seja perigoso."

Pegou-o pelas mãos, e começaram a caminhar em direção ao topo. Paravam de vez em quando, e olhavam para o vale lá embaixo; a ausência de chuva deixara marcas em toda a paisagem e, com exceção dos campos cultivados em torno de Akbar, o resto parecia um deserto tão duro como o das terras do Egito.

"Escutei meus amigos dizendo que os assírios vão voltar", disse o garoto.

"Pode ser, mas valeu a pena o que fizemos; foi a maneira que Deus escolheu para nos ensinar."

"Não sei se Ele se incomoda muito conosco", disse o menino. "Não precisava ter sido tão duro."

"Deve ter tentado de outras maneiras, até descobrir que não O escutávamos. Estávamos acostumados demais com nossas vidas, e já não líamos Suas palavras."

"Onde elas estão escritas?"

"No mundo à sua volta. Basta prestar atenção ao que acontece em sua vida e irá descobrir onde — a cada momento do dia — Ele esconde Suas palavras e Sua vontade. Procure cumprir o que Ele pede: esta é a única razão para você estar neste mundo."

"Se eu descobrir, escreverei nos tabletes de barro."

"Faça isto. Mas escreva, sobretudo, no seu coração; ali elas não poderão ser queimadas ou destruídas, e você as carregará para onde for."

Andaram mais um tempo. As nuvens agora estavam bem próximas.

"Não quero entrar ali", disse o menino, apontando para elas.

"Elas não vão lhe causar nenhum mal: são apenas nuvens. Venha comigo."

Pegou-o pelas mãos, e subiram. Aos poucos, foram entrando no nevoeiro; o menino abraçou-se a ele, e — mesmo que de vez em quando Elias procurasse conversar — não disse uma palavra. Caminharam pelas rochas nuas do topo.

"Vamos voltar", pediu o garoto.

Elias resolveu não insistir; aquele menino já havia experimentado muitas dificuldades e medo em sua curta existência. Fez o que ele pedia — saíram do nevoeiro, e tornaram a enxergar o vale lá embaixo.

"Sabe como é o meu nome?", perguntou Elias.

"*Libertação*", respondeu o garoto.

"Sente-se aqui ao meu lado", disse Elias, apontando para uma rocha. "Não posso esquecer o meu nome. Tenho que continuar minha tarefa, mesmo que — neste momento — tudo que desejo é estar ao seu lado. Foi por isso que Akbar foi reconstruída; para nos ensinar que é preciso seguir adiante, não importa quão difícil isso possa parecer."

"Você vai embora."

"Como você sabe?", perguntou surpreso.

"Escrevi isso num dos tabletes, ontem à noite. Alguma coisa me disse; pode ter sido mamãe, ou um anjo. Mas eu já sentia no meu coração."

Elias afagou a cabeça do menino.

"Você soube ler a vontade de Deus", disse contente. "Então não preciso lhe explicar nada."

"O que li foi a tristeza nos seus olhos. Não foi difícil. Outros amigos meus também perceberam."

"Esta tristeza que vocês leram em meus olhos é parte da minha história. Mas uma parte pequena que vai durar só alguns dias. Amanhã, quando partir em direção a Jerusalém, ela já não terá tanta força como antes, e — aos poucos — vai desaparecer. As tristezas não ficam para sempre, quando caminhamos em direção àquilo que sempre desejamos."

"Sempre é preciso partir?"

"Sempre é preciso saber quando acaba uma etapa da vida. Se você insistir em permanecer nela além do tempo necessário, perde a alegria e o sentido do resto. E se arrisca a ser sacudido por Deus."

"O Senhor é duro."

"Só com os escolhidos."

Elias olhou Akbar lá embaixo. Sim, Deus às vezes podia ser muito duro, mas nunca além da capacidade de cada um: o menino não sabia que, ali onde estavam sentados, ele recebera a visita de um anjo do Senhor, e aprendera como trazê-lo de volta dos mortos.

"Você vai sentir minha falta?", perguntou.

"Você me disse que a tristeza desaparece se seguimos adiante", respondeu o garoto. "Ainda falta muito para deixar Akbar tão bela como minha mãe merece. Ela passeia por suas ruas."

"Volte a este lugar quando precisar de mim. E olhe em direção a Jerusalém: eu estarei lá, procurando dar um sentido ao meu nome, *Libertação*. Nossos corações estão ligados para sempre."

"Foi por isso que você me trouxe para o alto do Monte Cinco? Para que pudesse ver Israel?"

"Para que pudesse ver o vale, a cidade, as outras montanhas, as rochas e nuvens. O Senhor costumava mandar seus profetas subirem as montanhas, para conversar com Ele. Eu sempre me perguntei por que fazia isso, e agora entendo a resposta: quando estamos no alto, somos capazes de ver tudo pequeno.

"Nossas glórias e nossas tristezas deixam de ser importantes. Aquilo que conquistamos ou que perdemos fica lá embaixo. Do alto da montanha você vê como o mundo é grande, e os horizontes são largos."

O menino olhou em volta. Do alto do Monte Cinco ele sentia o cheiro do mar que banhava as praias de Tiro. E escutava o vento do deserto que soprava do Egito.

"Vou governar Akbar um dia", disse para Elias. "Conheço o que é grande, mas também conheço cada canto da cidade. Sei o que precisa ser mudado."

"Então mude. Não deixe que as coisas fiquem paradas."
Pegou-o pelas mãos, e retornaram em silêncio.

Naquela noite o menino dormiu abraçado com ele. Assim que o dia começou a amanhecer, Elias tirou-o de seu colo com muito cuidado para não despertá-lo.

Em seguida vestiu-se com a única roupa que tinha, e saiu. No caminho, pegou um pedaço de pau que estava no chão, e usou-o como cajado. Pretendia nunca mais se separar dele: era a lembrança de sua luta com Deus, da destruição e reconstrução de Akbar.

Sem olhar para trás, seguiu em direção a Israel.

Cinco anos depois a Assíria tornou a invadir o país — dessa vez com um exército mais profissional, e com generais mais competentes. Toda a Fenícia caiu sob o domínio do conquistador estrangeiro, exceto Tiro e Sarepta — que seus habitantes conheciam como Akbar.

O menino se fez homem, governou a cidade e foi considerado um sábio por seus contemporâneos. Morreu velho, cercado de seus entes queridos, e sempre dizendo que "era preciso manter a cidade bela e forte, porque sua mãe continuava a passear por aquelas ruas". Por causa do sistema de defesa desenvolvido em conjunto, Tiro e Sarepta só foram ocupadas pelo rei assírio Senaquerib em 701 a.C., quase cento e sessenta anos depois dos fatos relatados neste livro.

A partir daí, porém, as cidades fenícias nunca mais recuperaram sua importância, e passaram a experimentar uma série de invasões — os neobabilônios, os persas, os macedônios, os selêucidas e, finalmente, Roma. Mesmo assim continuam a existir até os nossos dias, porque, segundo as antigas tradições, o Senhor nunca escolhia por acaso os lugares que desejava ver habitados. Tiro, Sidon e Biblos ainda fazem parte do Líbano, que continua sendo um campo de batalha.

E*lias retornou a Israel e reuniu os profetas no Monte Carmelo. Ali, pediu que se dividissem em dois grupos: aqueles que adoravam Baal e os que acreditavam no Senhor. Seguindo as instruções do anjo, ofereceu um novilho ao primeiro grupo e pediu que clamassem aos céus, de modo que seu deus pudesse recebê-lo.

Conta a Bíblia:

"Ao meio-dia, Elias zombava deles, dizendo: 'clamai em altas vozes porque ele é deus; pode ser que esteja meditando, ou viajando, ou dormindo'.

"E eles clamavam em altas vozes, e se retalhavam com facas e com lancetas, segundo o costume — mas não houve voz, nem resposta, nem atenção alguma.

"Elias, então, pegou seu animal e ofereceu-o segundo as instruções do anjo do Senhor. Neste momento, o fogo dos céus desceu e consumiu o holocausto, a lenha, as pedras. Minutos depois, uma chuva abundante caiu, acabando com quatro anos de seca."

A partir desse instante, uma guerra civil instalou-se. Elias mandou executar os profetas que haviam traído o Senhor, e Jezabel procurava-o por toda parte, para matá-lo. Ele, porém, refugiou-se na parte oeste do Monte Cinco, que dava para Israel.

Os sírios invadiram o país e mataram o rei Acabe, marido da princesa de Tiro, com uma flecha disparada por acaso, que *entrou na dobra de sua armadura. Jezabel refugiou-se em seu palácio, e — depois de algumas revoltas populares, com ascensão e queda de vários governantes — terminou sendo capturada. Preferiu atirar-se da janela a entregar-se aos homens enviados para prendê-la.*

*Elias ficou na montanha até o final dos seus dias. Conta a Bíblia que certa tarde, quando conversava com Eliseu — o profeta que nomeara como seu sucessor —, "um carro de fogo, com cavalos de fogo, os separou um do outro; e Elias subiu aos céus num rodamoinho".*

Quase oitocentos anos depois Jesus convida Pedro, Santiago e João para subirem um monte. Conta o evangelista Mateus que "(Jesus) foi transfigurado diante deles; o seu rosto resplandecia como o sol, e suas vestes tornaram-se brancas como a luz. E eis que apareceram Moisés e Elias falando com Ele".

Jesus pede aos apóstolos que não contem essa visão até que o Filho do homem ressuscite dos mortos, mas eles dizem que isso só acontecerá quando Elias retornar.

Mateus (17,10-3) narra o resto da história:

"Os discípulos o interrogaram: 'Por que dizem, pois, os escribas ser necessário que Elias venha primeiro?'.

"Jesus então respondeu: 'De fato, Elias virá e restaurará todas as coisas. Eu vos declaro, porém, que Elias já veio, e não o reconheceram; antes, fizeram com ele tudo o que quiseram'.

"E então os discípulos entenderam que falava de João Batista."

# Bibliografia básica

A *Bíblia sagrada*. Trad. João Ferreira de Almeida.
CAMPBELL, J. *A imagem mítica*.
EDEY, M. *The sea traders*.
ELIADE, M. *Histoire des croyances et des idées religieuses*.
_____ . *O sagrado e o profano*.
_____ . *Tratado de história das religiões*.
FRANCO, Augusto. *O precedente sumeriano*.
FUN-Chang. *Todo lo que necesitas está en ti*.
MICHAUX, W. *Elie, le prophète*.
MOSCATI, Sabatino. *The phoenicians* (via internet).
SEGAL, S. M. *Elijah: a study in Jewish folclore*
e a ajuda indispensável da internet.

TIPOGRAFIA Adriane por Marconi Lima
DIAGRAMAÇÃO Osmane Garcia Filho
PAPEL Pólen Soft, Suzano S.A.
IMPRESSÃO Geográfica, dezembro de 2019

A marca FSC® é a garantia de que a madeira utilizada na fabricação do papel deste livro provém de florestas que foram gerenciadas de maneira ambientalmente correta, socialmente justa e economicamente viável, além de outras fontes de origem controlada.